VOCÊ DE EMPREGO NOVO!

O guia perfeito

para seu **projeto**

de recolocação

TAIS TARGA

VOCÊ DE EMPREGO NOVO!

O guia perfeito

para seu **projeto**

de recolocação

Publisher
Henrique José Branco Brazão Farinha
Editora
Cláudia Elissa Rondelli
Preparação de texto
Gabriele Fernandes
Revisão
Ariadne Martins
Vitória Doretto
Diagramação
Vanúcia Santos (Design Editorial)
Capa
Rubens Lima
Impressão
BMF

Copyright ©2019 by Tais Targa
Todos os direitos reservados à Editora Évora.
Rua Sergipe, 401 – Cj. 1.310 – Consolação
São Paulo – SP – CEP 01243-906
Telefone: (11) 3562-7814/3562-7815
Site: www.evora.com.br
E-mail: contato@editoraevora.com.br

DADOS INTERNACIONAIS DE CATALOGAÇÃO NA PUBLICAÇÃO (CIP)
DE ACORDO COM ISBD

T185v   Targa, Tais

Você de emprego novo!: o guia perfeito para seu projeto de recolocação / Tais Targa. - São Paulo : Évora, 2019.
184 p. ; 16cm x 23cm.

ISBN: 978-85-8461-196-6

1. Mercado de trabalho. 2. Emprego. 3. Recolocação profissional. I. Título.

2019-470

CDD 331.128
CDU 331.535

Elaborado por Odilio Hilario Moreira - CRB-8/9949

Índice para catálogo sistemático:
1. Recursos humanos : Recolocação profissional 331.128
2. Economia : Pocura de emprego 331.535

AGRADECIMENTO

Este livro não é sobre mim, e sim sobre você e sobre todos que me ajudaram nesta jornada. Dedico este material aos que um dia interagiram comigo por meio das redes sociais e aos meus clientes que precisaram de um auxílio para conquistar um novo trabalho. Também agradeço aos meus pais, Sergio e Zenita, por me educarem com valores sólidos e me ensinarem a ser independente. Expresso minha profunda gratidão ao meu time: Ana Caroline, Luana, Noeli, Luciana, Rayane, Thaylane e Viviana. Elas são responsáveis pelo sucesso na recolocação dos clientes e por manter a minha vida pessoal em dia.

Agradeço aos amigos mentores que ajudaram enormemente no meu processo evolutivo: Taci Carvalho, Wilton Neto e Channa Vasco. Gratidão por vocês acreditarem em mim mais do que eu mesma. Sem vocês, nada disso seria possível. Ao apreciador do belo, Marcos Andrade, expresso minha profunda gratidão por aceitar o meu lado mais sombrio e me lembrar todos os dias que sou LUZ.

Dedico este livro aos meus filhos: Luana, Thalita e Daniel. Tudo o que desejo é que vocês tenham orgulho de mim e que por meio do meu exemplo contribuam para fazer deste mundo um lugar melhor. ♥

INTRODUÇÃO

VOCÊ PODE SER MUITO MAIS

Eu estava inerte diante de um espelho, observando cada linha de expressão daquela estranha que me encarava. Quem eu havia me tornado?

Aquela era a pior versão de mim mesma.

Enquanto lavava as mãos e deixava a água escorrer entre os dedos, tentava recuperar o momento em que havia me perdido. Onde estava a Tais? Em que estrada não percorrida ela havia ficado? Meus olhos não tinham brilho, minha expressão não trazia um sorriso. Minha alma não tinha vida.

As lágrimas já haviam secado. As forças para chorar tinham se esgotado. Eu me sentia um verdadeiro zumbi.

Nos minutos que se passaram, revisitei algumas cenas do que havia transcorrido, no piloto automático, nas semanas que tinham se passado antes daquele encontro comigo mesma diante do espelho, espelho esse que eu tinha medo de encarar nos últimos tempos. Sabia que aquela imagem refletida nele não condizia com o que eu queria ser. E não há nada pior para um ser humano que se encontra infeliz do que dar de cara com aquilo em que se tornou.

Onde eu tinha errado?

Aquela pergunta fazia um eco tremendo dentro de mim. E, pela primeira vez, comecei a buscar respostas.

Sim. Se havia algo de bom em enfrentar aquela crise, é que todo momento de crise traz consigo um grande desafio – olhar para a sombra, para o que nos desagrada. Para aquilo que tentamos evitar a todo custo.

Eu estava ali, mas minha alma tinha me abandonado fazia muito tempo.

Trabalhava no mundo corporativo. O que não era uma desculpa para nada, mas a minha rotina estava absolutamente previsível e sem graça.

Parecia um robô programado para fazer movimentos coordenados, sem nenhuma surpresa. Mas, como eu tinha chegado àquele ponto?

Comecei a sentir que eu era uma fraude.

Fraude. Essa palavra martelava na minha cabeça enquanto meus olhos soltavam faísca incriminando aquela estranha que era desmascarada naquele banheiro.

Revivi mentalmente as cenas do dia anterior, quando estivera numa palestra, sem alegria, sem vida. Sem inspirar ninguém e sem saber de onde tirar inspiração.

Minha equipe não suportava mais tantas exigências. A infelicidade, quando cai na vida de uma pessoa, parece uma desgraça que vai corroendo por onde a gente passa. E ela passava atropelando tudo. Enquanto fazia as coisas tentando ser eficaz, esquecia o lado humano. E os sentimentos iam embora.

Claro que, nesse processo, meu casamento entrou em ruínas. Era como uma erva daninha que ia destruindo toda a plantação que tentava crescer ao redor.

Era como me sentia. Ali, diante do espelho. Como se eu tivesse acabado com a minha vida, mesmo sem ter a intenção de fazer isso.

Só que, naquele dia, senti algo.

Meu coração.

E ele dizia que não estava satisfeito. Minha vida não estava do jeito que eu queria, e a responsabilidade era toda minha. Embora estivesse no fundo do poço, precisava entender que, se eu tinha entrado ali, poderia sair. E percebi que no fundo do poço havia uma grande mola.

Sim. Mas é preciso chegar lá. Abrir o coração e olhar para aquele cenário que está à nossa volta. Sem máscaras, sem medo do que vai enxergar. Olhar com sinceridade. Com coragem.

E aquele enfrentamento me fez despertar. Aquela imagem refletida no espelho não era, em definitivo, o que eu queria ver. E cabia a mim fazer uma mudança.

Nos dias que se passaram, fui, pouco a pouco, saindo daquela situação. Movendo-me, transformando-me, encontrando caminhos, novas possibilidades e, principalmente, olhando para a Tais que eu queria me tornar e que estava louca para florescer.

Os ajustes foram sendo inevitáveis. Meu casamento ruiu, resolvi mudar minha vida profissional e decidi abrir minha própria empresa. Com pequenos passos em direção à pessoa que eu queria ser, fui começando a viver da maneira como queria. E, sim, tudo mudou.

Minha vida, finalmente, começou a prosperar.

Meus negócios corresponderam àquela inesgotável energia que eu colocava e trouxeram o retorno esperado, e percebi que podia viver a vida dos meus sonhos.

Além disso, eu merecia vivê-la.

Hoje, tenho essa vida e não tenho medo de enacarar a imagem refletida no espelho.

Mas, ao mesmo tempo, por conhecer essa dor, minha experiência me faz conectar com quem está passando por esse período. É inevitável que, ao nos transformarmos, sejamos agentes de transformação.

E é isso que proponho neste livro.

Cada pessoa que chega até mim com pânico, vontade de desistir de si mesmo, sentindo-se uma fraude, sem ver uma luz no fim do túnel, faz-me lembrar daquela Tais que um dia me habitou e que consegui transformar. E essa transformação me possibilitou conseguir enxergar os passos necessários para as mudanças.

Vejo diariamente pessoas incertas em relação ao futuro, desesperadas porque não sabem se conseguirão garantir o futuro e o bem-estar da família.

Para essas pessoas, eu digo: faça o mesmo que fiz e encare essa situação, porque fugir dela não fará de você um herói. Aceite esse momento presente. Aceite que hoje você não tem ideia de nada. Mesmo que isso o faça sentir em queda livre. Mesmo que isso o apavore.

Aceite o presente e use o momento que o Universo está lhe dando para reinventar a si mesmo. Foi assim que fiz, foi assim que tantos profissionais que atendi usaram essa pausa. Como se estivessem diante de um filme com idioma desconhecido e sem legendas. É nessa hora que vemos que não sabemos nada do que está acontecendo diante dos nossos olhos, que podemos admitir que tudo pode ser mudado. E a proposta deste livro é fazer que você reinvente a si mesmo e consiga encontrar sua melhor versão, naquele momento em que estiver sozinho, numa conversa consigo mesmo, buscando entender quem é aquela pessoa em que se tornou.

Porque essa pessoa é você. E você pode ser muito mais.

SUMÁRIO

PARTE I - MINDSET 1
   1. O fundo do poço tem molas 3
   2. Acredite: você não é uma fraude 6
   3. Não deixe o desespero tomar conta de você 8
   4. "O que será, que será?" 12
   5. Respire fundo e seja grato 15

PARTE II - SABOTADORES MENTAIS 21
   6. "Pequeno comitê de merda" 23
   7. Conheça seu inimigo e vença a batalha 27
   8. Técnicas para domar seus sabotadores 40
   9. Alerta: não troque um sabotador por outro 42

PARTE III - PRODUTIVIDADE 43
   10. Valorize seu tempo livre 45
   11. Eu, comigo mesma: uma poderosa ferramenta
      de produtividade 48

PARTE IV - CURRÍCULO 51
   12. Comece com o pé direito 53
   13. O melhor currículo de todos os tempos 56
   14. Inovar ou não inovar? Eis a questão! 61
   15. Evite estes sete pecados capitais 63

PARTE V - LINKEDIN 67
   16. LinkedIn: seu passaporte para a empregabilidade 69
   17. Chame a atenção dos headhunters no LinkedIn 73
   18. Cada macaco no seu galho 75

PARTE VI - ENTREVISTA **77**

19. "Consegui: fui chamado para uma entrevista de emprego"... **79**

20. Essa é a hora: diferencie-se dos demais candidatos **84**

21. Hora do treino: simule uma entrevista **90**

22. Entrevista on-line: ela veio para ficar **94**

23. Confiança: a chave do sucesso no processo seletivo **97**

24. Drible o medo da dinâmica de grupo **101**

PARTE VII - RECOLOCAÇÃO 50+ **107**

25. Recolocação depois dos cinquenta anos: isso é possível? **109**

26. Aposte no seu marketing pessoal **112**

PARTE VIII - PERGUNTAS E RESPOSTAS **117**

27. Perguntas dos meus seguidores sobre carreira e recolocação **119**

   1. Vale a pena cadastrar o currículo em sites espalhados pela web? 120

   2. Como buscar uma vaga na internet? 120

   3. Posso atirar para todos os lados e me cadastrar em todas as vagas disponíveis? 121

   4. Quando o anúncio de uma vaga está em inglês, é obrigatório enviar o currículo nesse idioma? 121

   5. Enviar muitos currículos aumenta a chance de recolocação? 122

   6. É verdade que existem vagas de emprego falsas? 123

   7. Fui chamado para uma entrevista, mas não tenho mais acesso aos detalhes da vaga. E agora? 123

   8. Nome "sujo" atrapalha no processo de recolocação? 124

   9. Tenho duas entrevistas de emprego no mesmo dia e horário. E agora? 124

   10. Muito tempo em uma empresa (mais de sete anos) atrapalha na busca de emprego? 125

11. Recebi uma ligação me convidando para uma entrevista de uma vaga que não me candidatei. Isso é golpe?..................125
12. Como saber se preciso de um headhunter ou um jobhunter?..126
13. Quero ampliar minhas chances de contratação, por isso estou disposto a buscar vagas em outra cidade. Qual a melhor forma de fazer isso?...127
14. Suplicar por uma vaga amolece o coração do recrutador e ajuda na recolocação?...128
15. O que eu posso fazer para acelerar minha recolocação?..........128
16. O currículo pode ter mais de duas páginas?...........................129
17. Tenho que colocar foto no currículo?......................................130
18. Devo entregar currículos impressos?.......................................131
19. Qual período devo colocar no currículo: o que está na carteira de trabalho ou aquele em que efetivamente trabalhei na empresa?..131
20. Devo colocar pretensão salarial no currículo?........................131
21. Tenho duas áreas de atuação, faço um currículo unificado para ambas ou um documento específico para cada uma?........132
22. Como coloco minha experiência internacional no currículo?...132
23. Devo colocar o trabalho como autônomo no currículo?..............133
24. Devo colocar o link das minhas redes sociais no currículo?......134
25. Devo colocar referências profissionais no currículo?...............134
26. Congressos on-line e cursos sem certificado devem ser mencionados no currículo? Como fazer isso?........................134
27. Tive uma experiência que durou três meses. Devo colocá-la no meu currículo?..135
28. Iniciei um MBA, porém apenas cursei seis dos dezoito meses. Coloco ou não no currículo?...135
29. Devo aceitar todos os convites que chegam ao LinkedIn?........135
30. Escrevo que busco recolocação no título profissional do LinkedIn?...136
31. Por que é importante personalizar a URL do LinkedIn?...........136
32. Qual é a função do LinkedIn que avisa aos recrutadores que estou em busca de recolocação?..137
33. Qual o peso de uma recomendação no LinkedIn?....................137
34. Como posso pedir uma recomendação no LinkedIn?...............138

35. Devo personalizar o convite para uma conexão? 138
36. Sou coach e quero ampliar minhas possibilidades de clientela. O que posso dizer ao agradecer o aceite de uma conexão? 138
37. Sou coach e quero encontrar clientes no LinkedIn. Como posso fazer isso? 138
38. Qual a melhor figura de capa para um profissional liberal? 139
39. Como devo me preparar para as perguntas do recrutador? ...139
40. Se o recrutador perguntar quais são minhas qualidades e defeitos, o que devo responder? 141
41. O que dizer se o recrutador perguntar por que deveria me contratar? 143
42. Por que os recrutadores perguntam aos candidatos quais são os objetivos para os próximos cinco anos? 144
43. O que devo dizer ao ser questionado pelo recrutador do porquê estou aceitando a vaga com uma remuneração menor do que a que eu tinha no emprego anterior? 145
44. Devo responder sobre a minha orientação sexual em uma entrevista de emprego? 147
45. Fiz a entrevista e não tive retorno. O que devo fazer? 148
46. Posso entrar em contato com o headhunter para ter um retorno sobre a entrevista? 148
47. Fui chamada para a entrevista, mas não tenho o perfil da vaga. Devo ir mesmo assim? 149
48. Fui chamado para uma entrevista de emprego, mas tenho que pagar. O que faço? 150
49. Por que gerar empatia com o recrutador é importante e como é possível fazer isso? 151
50. As novas relações de trabalho: será mesmo seguro e necessário o contrato CLT? 152
51. Como lidar com o assédio sexual no trabalho? 154
52. Como fazer uma transição de carreira de forma segura? 155
53. É possível transformar um hobby em profissão? 157
54. Como saber o que se aplica melhor à minha necessidade: coaching ou planejamento de carreira? 159
55. Como lidar com o desligamento no trabalho? 160
56. É justo premiar competência com mais trabalho? 161
57. Inglês ou pós-graduação: o que fazer primeiro? 162
58. Existe um padrão ou limite de idade por cargo? 163

PARTE I
MINDSET

1 O FUNDO DO POÇO TEM MOLAS

Meu primeiro marido era um cara muito legal, além de extremamente inteligente. Eu vivia um conto de fadas com o parceiro ideal: romântico, queridinho, que fazia as coisas por mim, um fofo. Só que e*ra um marido que também aguentava coisas demais, que não se posicionava. D*epois de cinco anos de casados, bateu uma crise no relacionamento e, um dia, de repente, ele falou: "Não quero mais". E nós nos separamos. Tudo aconteceu muito rápido e me pegou de surpresa. A verdade é que levei um tremendo susto. Foi uma fase horrível e muito traumática para mim. Embora tivesse meu emprego e condições de me sustentar, eu dependia dele em outro nível: não fazia uma apresentação sem que ele desse a ideia, aprovasse e revisasse para mim. Ele me mimava, fazia tudo para mim, e eu me acomodava. Não era protagonista da minha própria vida. Aquele "conforto" me deixava cada vez mais fraca emocionalmente.

Quando nos separamos, fiquei muito mal. Vivia chorando. Fazia tratamento com psicólogo e psiquiatra. Tomava um remédio para dormir e outro para me manter acordada. Lembro-me do dia em que coloquei o despertador para tocar às onze horas da manhã. Eu me senti um lixo. Que tipo de pessoa não consegue acordar sozinha antes das onze? Nesse cenário tão ruim, meu ex-marido me convenceu a sair de casa e deixar nossas duas filhas com ele. E foi o que fiz.

Ao mesmo tempo que passava por esse momento tão difícil na minha vida pessoal, enfrentava problemas no lado profissional. Sentia-me constantemente uma fraude. Sentia que eu não era capaz de trabalhar. Passava meses sem ler um livro, não tinha concentração para estudar e pouco me animava para buscar evolução. Não tinha inspiração. Eu me sentia um zumbi, que estava apenas de corpo presente nos lugares. Por mais que entregasse tudo o que precisava no trabalho, eu não tinha alma, não havia alegria. Quando eu dava uma palestra, subia no palco, cumpria meu papel e chorava em seguida, porque sentia que não tinha nada para dizer para o mundo, sentia-me uma péssima profissional. Cada vez que minha voz ecoava no microfone eu sentia um nó na garganta e a voz ia ficando cada vez mais trêmula, denunciando que aquela mulher ali não acreditava em si mesma. A depressão tomou conta de mim e cheguei no fundo do poço. Mas, quando fui até o fim, percebi que o fundo do poço tem molas, e lá encontrei forças para me reerguer e escrever uma nova história.

O cabelo, para mim, representa muito poder. Então, minha primeira decisão foi mudar a cor do meu. Realizei o sonho de pintar de ruivo e esse foi um momento muito importante de virada para mim. Depois, decidi emagrecer e perdi seis quilos. Conheci uma pessoa muito interessante e engatei um novo relacionamento. Então, comecei a escrever artigos, percebi que era muito boa nisso, que surpreendentemente minha escrita era fluida e eu não precisava de ajuda para aquilo. Simplesmente não parei mais. A escrita fazia parte da minha nova vida e muitas vezes ela foi extremamente terapêutica. Dei uma reviravolta profissional na minha vida, assinei o divórcio e trouxe uma das minhas filhas para morar comigo. Em seis meses, eu me reinventei e passei a ser protagonista da minha própria vida.

Hoje, se você está num momento delicado da sua carreira ou da sua vida pessoal, saiba que tem solução. Eu sei que muitas vezes você vai entrar em pânico, ter vontade de correr, desistir, mas não desista. Faça pequenas mudanças, porque elas serão responsáveis por coisas grandiosas na sua vida. Não desanime, sempre há uma luz no fim do túnel e você vai conseguir construir a vida dos sonhos.

2 ACREDITE: VOCÊ NÃO É UMA FRAUDE

Nos sentimos dessa maneira por motivos diversos. Mulheres costumam se sentir impostoras devido a uma construção social que nos coloca como menos capazes. Por outro lado, os homens têm esse sentimento quando não conseguem evoluir na carreira ou passam longos períodos sem colocação no mercado. Mas a verdade é simples: ninguém é uma fraude.

Eu já me senti assim e, naquele momento, as minhas competências, o meu valor e as coisas boas que aconteciam na minha vida também estavam presentes. O problema estava no fato de que eu não enxergava tudo isso, porque me inundava de sentimentos e pensamentos negativos e só me depreciava.

Então, quando vier aquela vozinha assombrar seus pensamentos e sussurrar em seu ouvido que você é uma fraude, pare tudo o que estiver fazendo e pergunte-se: "Eu realmente sou uma fraude?". Depois de responder a essa pergunta, faça-a novamente, mas de outra forma: "Eu posso afirmar, com absoluta certeza, que sou uma fraude?". Essa não é uma prova e as respostas ficarão apenas para você, mas, aqui do outro lado, com a minha experiência, posso afirmar que suas respostas serão: "Não, eu não sou uma fraude". Em seguida, reflita como é que ficam o seu corpo, suas emoções e como você se sente quando acredita nessa mentira. Pense seriamente nas consequências que essa crença traz para sua vida.

Procure inverter essa frase e experimente vivenciar o quanto isso pode ser transformador. Diga para si mesmo: "Eu não sou uma fraude", "Eu sou um ser humano capaz", "Eu sou um profissional competente". Para embasar essas frases e elas se tornarem mais críveis para você mesmo, pense na sua carreira, na sua vida e relembre três passagens que poderiam atestar essas afirmações. Por exemplo, "quando eu trabalhava, trouxe resultados incríveis para a empresa. Também tenho uma família maravilhosa e, apesar desta fase ruim, estou conseguindo manter a harmonia do meu lar, dou uma boa educação para os meus filhos. Mesmo com dificuldades, consigo me doar para os outros e os meus amigos gostam de mim".

Todas as vezes que sugiro esse exercício aos meus clientes, eles encontram motivos que justificam a percepção de que, de fato, não são uma fraude. É importante que você entenda que esse é apenas um período ruim da sua vida. Lá na frente, tenho certeza de que ao olhar para trás você compreenderá que foi justamente nessa fase difícil que teve as melhores oportunidades para crescer, amadurecer, desenvolver suas competências e se tornar um ser humano melhor.

Quando esse modelo mental negativo tentar invadir a sua vida, bloqueie-o. Lute contra seus pensamentos negativos. Persista e insista na construção de um modelo mental mais próspero e generoso com você mesmo.

3 NÃO DEIXE O DESESPERO TOMAR CONTA DE VOCÊ

Certa vez, recebi um e-mail de um profissional que estava passando maus momentos por estar desempregado. Ele tinha quatro filhos e estava entrando em um estado de desespero. Sua mensagem dizia o seguinte: "Sou um profissional experiente, na área de *supply chain*, e mesmo fazendo uma busca intensa não estou conseguindo nada no mercado de trabalho. Tenho quatro filhos e minhas reservas financeiras estão acabando. Já estou há quatro meses parado. Como não ficar depressivo e apreensivo nesse cenário?".

Essa é uma situação muito delicada e inúmeras pessoas estão passando pelo mesmo – em maior ou menor grau – neste exato momento. Saiba que nem os profissionais com altas performances estão livres de situações como essa. Se for o seu caso, o que tenho para dizer é para que você encare isso como uma grande provação. Não se culpe, porque a culpa só vai prejudicá-lo e levá-lo para baixo. Olhe para seu histórico profissional e não esqueça as suas realizações e o quanto já colaborou positivamente quando estava empregado.

Pratique gratidão. Mesmo nos piores momentos. Agradeça por sua saúde, sua família, sua capacidade, porque uma hora esse mau momento vai passar e você conseguirá se restabelecer. Aliás, esse é um ótimo momento para fortalecer sua fé e inteligência espiritual. Participe da sua comunidade religiosa, se fizer parte de uma, pratique meditação e o pensamento positivo. Invista na qualidade dos seus pensamentos. Tente varrer os pensamentos negativos e derrotistas. Não se culpe também por ter sentimentos negativos. Só não experimenta emoções negativas quem está morto ou é psicopata. Tenho certeza de que não é o seu caso. Mas o que você precisa fazer é aceitar a sua condição humana, ou seja, que é alguém que tem imperfeições, aos poucos ir mudando o foco e jogar o amplificador em cima das suas qualidades boas e realizações. Há pouco tempo passei por uma situação bem difícil e desafiadora. Tive medo e, depois, raiva. Fui dormir e revivi o que passei de ruim algumas vezes. Mas depois parei. Lembrei-me de tudo o que agora estou dizendo para você, caro leitor, e mudei o foco dos meus pensamentos. Então, numa noite, adormeci pensando em duas situações vividas naquele dia que me deixaram feliz e satisfeita.

Aproveite o momento ~~desesperador~~ desafiante para se reinventar, fazer novos cursos (a internet oferece muito conteúdo gratuito). Leia um livro por semana, aprenda novas ferramentas tecnológicas e veja quais competências pode desenvolver. Às vezes, uma pausa na carreira pode ser um divisor de águas para o desenvolvimento de suas competências profissionais.

Cuide da sua saúde. Use o tempo livre para caminhar ao ar livre e praticar um esporte. Cuide da alimentação, aumente a ingestão de água e respire mais pausadamente.

Pare de comparar o seu bastidor com o palco dos outros. Se for para comparar, que seja com você mesmo. Eu própria tenho muito orgulho do meu primeiro vídeo, que aliás ainda está no meu canal do YouTube.[1] Nele, eu piscava, balançava

---

1 Disponível em: <https://www.youtube.com/user/taistarga>.

exageradamente e olhava para baixo. Ao mesmo tempo que tenho vergonha, também tenho muito orgulho dele. Quando fico ansiosa e começo a me comparar com alguém, simplesmente respiro fundo e dou uma olhada naquele vídeo. É o que basta para me acalmar e me lembrar do quanto evoluí.

Então, pense na sua vida daqui a um ano, por exemplo. Dê o seu melhor para ser um profissional mais competente do que era há meses. Invista sua energia e tempo livre no seu próprio desenvolvimento, comprometa-se agora a ser um ser humano melhor.

O futuro nos amedronta. Não saber o que será – de nós, da vida, do mundo – lá na frente sempre trouxe ao ser humano curiosidade e receio, na mesma medida. Em todos os meus anos de experiência, posso afirmar que a maior angústia dos clientes que acolhi no serviço de recolocação profissional é a incerteza em relação ao futuro. Após o período de pausa, geralmente reflexo do desemprego, a incerteza de que suas competências ainda são válidas para o mercado é um fator gerador de muita ansiedade.

Mas quero fazer um alerta: toda essa angústia atrapalha o seu processo de recolocação. Então, se você está passando por isso, a primeira coisa que deve fazer é aceitar esse momento presente. Hoje você não tem certeza de nada e está tudo bem. Aproveite essa fase para fazer reflexões importantes e ir para a ação.

Muitos clientes que ajudei no processo de recolocação costumam me trazer o feedback de que, durante o momento de angústia, não entendiam quando eu dizia a eles que esse hiato em suas carreiras seria muito importante, justamente, no futuro. No entanto, agora recolocados, eles conseguem perceber o quanto cresceram, o quanto desenvolveram outras competências, como foi bom fazer cursos e, hoje, sentem-se profissionais melhores.

Então, para quem enfrenta essa situação, sempre digo: aproveite esse momento que o Universo está lhe dando. Faça um balanço da sua vida, de quem está junto com você e de quem não está, de quem está o ajudando ou não nessa fase ruim. Avalie suas competências e o que você pode desenvolver para ser um profissional melhor. Não se apegue a essa dor nem a essa angústia. Tente se movimentar, busque novas alternativas. A palavra é: reinvenção.

4 "O QUE SERÁ, QUE SERÁ?"

É incrível como os modelos mentais que adotamos para nossa vida podem dizer muito sobre quem somos. Recentemente, passei por uma experiência interessante e quero dividir essa reflexão com você. Passei o último Natal na cidade em que nasci, no interior de São Paulo. Foi maravilhoso rever familiares e reencontrar amigos da minha adolescência.

Nos dias em que estive ali, pude participar de uma balada para os adultos que viveram ali a adolescência nos anos 1980 e 1990. Fui ao evento acompanhada de amigas de infância e logo reconheci o homem que acenava para nós, de dentro de uma caminhonete: era o antigo ficante da minha melhor amiga no colegial.

Lembro que ela era uma garota de mais ou menos 15 anos quando eles começaram a "ficar". Nessa época, o rapaz já era um profissional formado e beirava os 20 e poucos anos. Minha melhor amiga era apaixonada e obcecada por tudo que ele fazia. Ouvi muito sobre aquele homem, o que fazia que eu me sentisse parte de toda aquela história.

Ao vê-lo dirigindo a sua caminhonete, bateu-me uma curiosidade enorme de saber como estava sua vida. Prometi para mim mesma que uma das metas daquela noite seria conversar cinco minutinhos com ele. Queria entender as mudanças que aquela figura inusitada enfrentou na vida.

Entre muita música e vários flashbacks dos anos 1980 e idas ao balcão para pedir uma água com limão, tive a oportunidade de "esbarrar" nele e bater um papo rápido e superficial. Ele não havia mudado nada. Ainda andava numa caminhonete, estava rodeado de mulheres bem mais novas e muito bonitas, tinha a mesma energia e o mesmo papo fútil de sempre. Em resumo: o mesmo rapaz de 25 anos atrás estava falando comigo.

Depois do nosso breve papo, fiquei pensando: será que ele é feliz? Minha amiga concluiu que o fato de ele ter tido mais conforto financeiro que nós fez que ele não tivesse o ímpeto de se reinventar e desbravar o mundo. Também levantei a hipótese de que ele não tenha assumido tudo o que tinha para viver, não tenha tentado levar a vida de um modo diferente, não tenha colocado suas opiniões em xeque e não tenha sido desafiado a sair da sua zona de conforto. É claro que tudo isso foram suposições baseadas no passado que vivemos e naqueles cinco minutos de conversa. Pode ser que tenha acontecido tudo isso ou nada disso na vida dele, e é muito provável que nunca venhamos a saber.

Mas esse breve encontro e nossas suposições regadas à música dos anos 1980 fizeram que eu pensasse sobre quantas pessoas estão mergulhadas na comodidade de fato. Há quem nem sequer mude o corte de cabelo e que se arrepia só de imaginar uma mudança em seu padrão de pensamento. É preciso muita coragem para mudar o estilo de vida ou renegar o modelo de sucesso que faz sentido para os seus pais.

Sim, muita gente deixa de viver os seus sonhos e realizar pequenas ou grandes mudanças simplesmente pelo medo do desconforto. Porém, para se reinventar e seguir os seus objetivos, viver com certo desconforto é imprescindível.

Sair de um modelo de sucesso fixo, estabelecido pela sociedade, deveria ser obrigatório. Ser bem-sucedido na vida é ser feliz e realizado de acordo com os seus padrões. Pode ser que para alguém isso represente vender o apartamento e o carro e ir morar na praia e viver de modo simples. Há quem queira ter quatro filhos e ser dona de casa. Assim como existem pessoas que querem criar uma *startup* que fature milhões.

Você já parou para pensar qual é o seu modelo de sucesso? Mais que isso, o que é sucesso para você? Quem estabeleceu isso? Faz sentido para sua vida e para quem você é? E o que você faz para estar conectado com aquilo que realmente deseja?

É muito difícil se desligar de um ideal de futuro que não condiz com seu íntimo – especialmente quando há risco de decepcionar a família ou os amigos –, mas é ainda mais triste ver alguém que doou anos de sua vida por algo que não queria de fato. Tudo isso começa com o medo do desconforto. E digo mais: se você não anda se sentindo desconfortável, é um grande sinal de que precisa realizar mudanças.

Pare um pouco e pense sobre sua vida, você e seu futuro. O que realmente quer? O que está sussurrando timidamente dentro de você? Lembre-se: a comodidade não aflora todo o nosso potencial.

5 RESPIRE FUNDO E SEJA GRATO

Há algum tempo, estava saindo do meu escritório e, na garagem, conheci um profissional que trabalhava no prédio. Ele era massoterapeuta, tinha uma clínica ali e se apresentou para mim de forma muito simpática. Confesso que isso me assustou um pouco, afinal aquele comportamento estava um tanto fora dos padrões curitibanos, mas gostei da animação do rapaz. Depois que trocamos algumas palavras sobre seu trabalho, ele me entregou seu cartão. Embora parecesse um bom profissional, fazer massagem com um homem me deixava um pouco desconfortável e, além disso, eu já fazia drenagem linfática com uma massoterapeuta de que gostava muito. Então, entre tantas coisas, perdi o cartão daquele rapaz.

Um dia, durante um momento de ritmo frenético de trabalho, fui acometida por uma dor absurda no nervo ciático. Não conseguia fazer nada direito. Sentar e levantar era uma missão hercúlea e até pensar estava se tornando impossível. No meio da crise, agradeci àquela dor. Sei que pode soar estranho, mas a inflamação no ciático foi uma oportunidade de conexão comigo mesma. Sua presença era uma forma de me dizer que, talvez, eu estivesse indo rápido demais em tudo o que estava fazendo e que não estava sendo benéfico para o meu corpo. Então, reconheci a dor, agradeci por sua existência e parti em busca de uma solução para ela. Nesse momento, a primeira pessoa que veio à minha mente foi aquele massoterapeuta animado que trabalhava com atletas e tinha uma clínica justo no prédio do meu escritório.

Corri em busca de achar seu contato e marquei uma consulta. Foi a melhor decisão que tomei. Com uma técnica própria, ele usa porcelana quente para trabalhar os pontos necessários do corpo. Já na primeira sessão, meu ciático era outro e saí de lá com 70% a menos de dor. Para completar o tratamento, fechamos um pacote de sessões e, durante esse processo, ele conseguiu eliminar algumas fibroses que eu tinha no corpo e que havia muito tempo tentava removê-las sem sucesso.

Veja, tudo isso só foi possível porque meu nervo ciático inflamou. Se isso não tivesse acontecido, continuaria extrapolando os limites do meu corpo e talvez nunca tivesse arriscado uma consulta com o rapaz, que resolveu questões antigas do meu corpo. Portanto, mesmo que você esteja triste, desanimado, sem esperanças por causa desse momento de transição forçado na sua vida e carreira, seja grato por essa fase, ressignifique esse seu momento presente. Lembre-se: você está exatamente onde deveria estar.

No meio da sua angústia, sem saber como será o dia de amanhã, ler essas linhas acima pode trazer certo desconforto. Talvez algo esteja sussurrando dentro de você: "Lá vem ela com essa moda de gratidão". Se isso estiver acontecendo, pare, respire e me ouça: gratidão não é moda, mas um comportamento que não ignora o que está difícil na nossa vida.

Muitas pessoas acreditam que fazer exercícios de gratidão ou ser grato a algo é o mesmo que não olhar para as dificuldades do dia a dia, esquecer que está desempregado. Não é nada disso. A gratidão traz a oportunidade de olhar para o que há de bom na sua vida. Cada vez que você olha para aquele detalhe que faz bem, que foi importante no seu dia, sua vibração muda.

Mas não pense que ser grato é simples. Digo isso porque não é raro fantasiarmos em cima da gratidão. Isso acontece quando você se força a agradecer por aquela entrevista de emprego, mas em seu íntimo há um descontentamento enorme com essa oportunidade que apareceu. Para que a gratidão tenha efeitos positivos na nossa vida, precisamos ser verdadeiramente gratos. Isso acontece quando nos conectamos com aquilo que mais gostamos, que nos traz uma sensação de bem-estar profundo.

Quando converso sobre esse tema com meus clientes, às vezes costumo ouvir de alguns que não há nada na vida deles que faça que se sintam bem. Será? De repente, saborear uma simples xícara de café quentinho é o que o faz ser grato. Então, agradeça por esse momento.

Você sabia que, quando sentimos gratidão, acontece uma mudança bioquímica no cérebro que desencadeia a liberação de substâncias no corpo que provocam maior relaxamento e sensação de paz e tranquilidade? Ao conquistarmos essa leveza, nossa visão começa a ficar mais clara e passamos a enxergar oportunidades que, muitas vezes, passam desapercebidas em nosso dia a dia. Isso acontece porque, normalmente, a oportunidade não vem em letreiros luminosos na nossa vida, pelo contrário, ela costuma aparecer disfarçada. A oportunidade pode surgir ao esbarrarmos com alguém na rua (lembra-se da minha dor no ciático?), naquele atraso para o compromisso por causa de uma chuva inesperada que desencadeou um trânsito terrível e até mesmo em uma demissão. Conheço inúmeros profissionais que tiveram oportunidades incríveis, mas que só surgiram em decorrência da perda de um emprego.

Ou seja, gratidão não tem nada a ver com achar tudo lindo. Pessoas gratas também têm problemas. A diferença entre alguém grato e alguém não grato está na forma de olhar para as situações. Quem é grato olha para uma possibilidade de mudança de forma a expandir a sua percepção. E isso está exatamente nos pequenos detalhes: o pôr do sol, o cheiro do café sendo coado, o sorriso de uma criança, o simples fato de estar vivo.

Puxa, mas o que fazer, então, quando aquele sentimento negativo nos assola? O que fazer quando não conseguimos tirar o foco das coisas ruins que a demissão trouxe para o nosso dia a dia? O que fazer quando a vida nos deu um não e temos de encarar isso? A resposta é simples: aceite, que dói menos. Embora essa pareça uma frase dura, ela simplesmente quer dizer que tudo aquilo a que resistimos nos impede de sermos felizes. Então, se você está com raiva, nervoso ou triste com uma situação, o pior que você pode fazer por si é querer agradecer alguma coisa. Parece contraditório, mas não é. Em situações assim, o melhor que temos a fazer é aceitarmos o nosso sentimento. Aceitar que sentimos raiva, que temos alguma mágoa, que estamos tristes ou cansados, que desejaríamos não estar passando por determinada situação é fundamental para dar o primeiro passo para conseguir ser grato de verdade. A partir do momento que aceitamos sem culpa o que sentimos, estamos nos libertando para ser gratos.

A felicidade está relacionada a pensamentos congruentes em relação ao que sentimos e agimos. Portanto, se você está se sentindo triste, deprimido, incompreendido, desrespeitado e age de uma forma que não respeite o que está sentindo, então não há como ser grato ou feliz. Por isso, aceite o que você está sentindo, porque realmente irá doer menos.

Vivemos em uma sociedade que não nos permite sentir raiva, culpa ou desconforto. Tenho certeza de que, em algum momento, ao desabafar com um amigo sobre algum descontentamento, você ouviu: "Para com isso, logo as coisas melhoram", ou "Você está muito negativo, tem que pensar positivo, acreditar em Deus, ter fé". As variantes das frases são infinitas e, no fundo, trazem-nos mais sentimento de incompreensão e desconforto. Aliás, vale dizer que pensamento positivo não é gratidão. Se o pensamento positivo não for real, ele não serve de nada, torna-se uma ladainha vazia e aumenta a nossa dor. Gratidão é lidar com a realidade do jeito que ela é.

Para finalizarmos esse capítulo, em que busquei ajudá-lo a desenvolver de forma mais assertiva o seu *mindset*, quero propor um exercício de gratidão.

Você pode fazer este exercício no início ou no fim do dia.

Feche os olhos e preste atenção na sua respiração. Aos poucos, vá respirando de forma mais lenta. Lembre-se de como foi o seu dia (se for de manhã, pode se recordar do dia anterior) e pense em pessoas, circunstâncias ou situações que merecem a sua gratidão. Você pode agradecer o sorriso do seu filho, um abraço apertado e sincero que recebeu de alguém, a água quente e encanada que recebe na sua casa, o fato de ter conteúdo gratuito e de qualidade ao seu dispor por meio da internet e por aí vai. Agradeça e pense em cinco imagens que representem o motivo da sua gratidão. Isso feito, você vai lembrar de uma pessoa que tocou a sua vida. Imagine essa pessoa sorrindo e mande sua gratidão para ela. Depois, volte no tempo e encontre você aos 7 anos de idade. Sorria para você, abaixe-se e dê um abraço apertado nessa criança cheia de sonhos. Agradeça e despeça-se. Lembre agora de alguém que você ama e não está mais neste plano. Sente-se com essa pessoa e sinta o toque das mãos dela junto às suas e olhe bem dentro dos olhos dela. Sorria, levante-se e convide-a a se levantar também. Entregue-se a um grande abraço e despeça-se dela agradecendo por tudo o que ela já fez para você. Por fim, pense numa cor e conte até dez e abra os olhos. Você está pronto para viver um dia incrível ou ter uma noite de sono revigorante.

PARTE II
SABOTADORES MENTAIS

6 "PEQUENO COMITÊ DE MERDA"

A expressão que dá nome a este capítulo não fui eu quem inventou, mas a acho tão genial que acredito que todo mundo deveria adotá-la para a vida. A autora desta célebre expressão é da doutora Jill Bolte Taylor, neuroanatomista, que resolveu chamar dessa forma as vozes dentro da cabeça dela, aquelas que todos nós conhecemos, que nos atacam e nos punem a todo instante, drenando toda confiança que temos em nós.

São os nossos sabotadores mentais: aquela vozinha interior que diz "eu não posso, eu não consigo", "você não vai conseguir emprego", "você está fora do mercado, ninguém vai o contratar", "a crise no Brasil está enorme, não há mais espaço para você", "você é um perdedor". Mas, afinal, o que são esses sabotadores? São aqueles pensamentos que causam angústia, raiva, frustração, medo, dúvida, entre outros sentimentos negativos, que nos impedem de realizar nosso potencial.

Normalmente, nossos sabotadores mentais são desenvolvidos na infância, porém, ao contrário do que possa parecer, a função inicial deles é a de nos proteger. A mente é a nossa melhor amiga, mas também pode ser a pior inimiga. Por isso é importante desenvolver inteligência específica para saber domá-la e fazer que ela trabalhe a nosso favor e não contra.

Quer um exemplo? Imagine que você tenha uma entrevista de emprego e sua voz interior esteja dizendo que você precisa se preparar, que esse preparo é fundamental para você se dar bem. Percebe que, embora essa voz interior esteja trazendo certa angústia, o objetivo dela é que você se prepare e, consequentemente, tenha um bom desempenho? Até aqui, maravilha. Então, suponhamos que você tenha: se preparado, lido este livro inteiro, estudado a empresa, treinado seus pontos fortes e seguido todo o roteiro do capítulo de entrevista para poder estar afiadíssimo para a hora da sabatina. Mas, de repente, você acorda às quatro horas da manhã pensando na entrevista. Está se sentindo ansioso, aflito, com aquele aperto no peito e o pensamento que o invade é o de fracasso. Sua mente começa a ser tomada por aquela voz que diz que não vai dar certo, que existem profissionais mais capacitados que você. Pronto, o "pequeno comitê de merda" entrou em ação. Sem que você se dê conta, ele domina sua mente por inteiro e, nesse momento, ela deixa de ser sua amiga e passa a ser sua inimiga, agindo ao contrário do padrão mental que deveria estar estabelecido para essa situação. E, então, o que acontece? Você se cansa, exaure seus recursos mentais e assume, de fato, uma postura de fracassado. Quando esse "pequeno comitê" toma conta de sua mente e ela o puxa para baixo, você caminha para a não realização. Se esses pensamentos não são bloqueados e combatidos, a certeza é uma só: de fato, você chegará à entrevista de emprego com uma postura de fracassado, de menos competente entre todos e, provavelmente, não conquistará a tão desejada vaga.

Todos nós possuímos o nosso "pequeno comitê de merda", que está sempre lá, à espreita, falando em nosso ouvido. O pulo do gato está em, justamente, saber até que ponto ouvi-lo.

A boa notícia é que existe o contraponto, que podemos chamar de "o modo sábio". Aquela área do lado direito do cérebro que tem acesso à sua sabedoria e a seu discernimento, a detentora dos seus poderes mentais. Sim, porque você tem poder, todo mundo tem, mas muitos não conseguem acessá-lo porque se deixaram dominar pelos sabotadores mentais.

Quem trouxe à luz e organizou didaticamente o conceito de sabotadores mentais foi o autor e professor da Universidade Stanford Shirzad Chamine. Em seu livro *Inteligência positiva*, ele explica por que apenas 20% das equipes e dos indivíduos alcançam seu verdadeiro potencial. Segundo sua teoria, todos nós possuímos um Quociente de Positividade, ou seja, uma pontuação de inteligência positiva expressada em um percentual que vai de 0 a 100. Na prática, o Quociente de Positividade é a porcentagem de tempo em que sua mente age em seu favor em vez de sabotá-lo. Por exemplo, um QP de 75 significa que sua mente age em seu favor durante aproximadamente 75% do tempo e sabota você durante cerca de 25% do tempo. Vale lembrar que os sabotadores mentais e seu modo sábio são alimentados por regiões diferentes do cérebro e podem ser enfraquecidos ou fortalecidos, dependendo de qual região é ativada. Chamine afirma ainda que sem um Quociente de Positividade forte o bastante, muitas de nossas tentativas de melhorar tanto o desempenho quanto a felicidade irão falhar simplesmente porque estaremos nos sabotando com frequência.

Uma premissa fundamental da inteligência positiva é que todos os sentimentos negativos, destrutivos ou desagradáveis são gerados pelos sabotadores mentais, independentemente do que esteja acontecendo. Isso significa que a energia que desperdiçamos com ansiedade, estresse, raiva, frustração, dúvida de si mesmo, impaciência, desespero, arrependimento, ressentimento, inquietação, culpa e vergonha é uma escolha feita por eles. Em contrapartida, cada desafio pode ser encarado pelo modo sábio a partir de outra perspectiva, que só gera sentimentos positivos.

Para saber se sua mente está operando em seu modo sábio e, portanto, sendo sua amiga, ou se está agindo conforme os mandos dos sabotadores mentais e sendo sua inimiga, é fácil: conecte-se consigo mesmo e perceba os sentimentos que está vivenciando.

É importante dizer que o Quociente de Positividade é medido pelo cálculo da porcentagem de sentimentos gerados pelo sábio contra sentimentos gerados pelos sabotadores ao longo de um dia típico. Por isso é muito importante levar em consideração que todos nós temos dias bons e ruins.

Aconselho a todos a medirem seu Quociente de Positividade, e isso é possível de maneira fácil, rápida e gratuita por meio do link <www.objetiva.com.br/testeinteligenciapositiva>.[2] Esse teste foi disponibilizado por Shirzad Chamine, para que todos possam ter acesso a esse conhecimento sobre si próprio.

---

2. Acesso em: 23 jan. 2019.

7 CONHEÇA SEU INIMIGO E VENÇA A BATALHA

Quando pensamos em estratégias de guerra, não há ensinamento mais básico para vencer o inimigo do que conhecê-lo a fundo. Somente quando sabemos de suas potências e fraquezas é que podemos traçar uma estratégia de ação para neutralizar aquilo que ele tem de forte e atacar suas fraquezas. Correto? Então, para vencer nossos sabotadores mentais, é fundamental que eles sejam conhecidos. É preciso saber quem são e como agem. Em seguida, precisamos entender como eles funcionam em nós e qual espaço estamos abrindo para que consigam nos desestabilizar. Só assim será possível combatê-los e deixar o caminho livre para que o modo sábio faça sua parte.

Shirzad Chamine foi quem também mapeou os sabotadores mentais. Segundo ele, existem dez tipos de "padrões mentais automáticos e habituais, cada um com sua própria voz, crença e suposições que trabalham contra o que é melhor em nós" (CHAMINE, 2013). Agora, vou contar sobre cada um deles para você.

CHEFÃO DA GANGUE

O Crítico é o principal sabotador. Ninguém está imune a ele. É como se fosse o chefão de uma gangue. É por causa dele que estamos sempre criticando a nós mesmos, a outro alguém ou ao que nos acontece. Quando estamos com esse sabotador a todo o vapor, o resultado é um excesso de ansiedade, estresse, raiva, frustração, vergonha e culpa. Porém, quando conseguimos fazer que o modo sábio opere sobre a questão, transformamos o que poderia ser ruim em algo positivo. A autocrítica, por exemplo, não é de todo mau se ela for na medida certa para nos impulsionar a fazer algo melhor. Olhar com criticidade o nosso trabalho ou as nossas ações não é ruim, desde que seja feito de forma a nos levar para frente, e não a nos puxar para baixo. Viemos de fábrica com o "chip" para realizarmos julgamentos o tempo todo. Pois, na nossa ancestralidade, não julgar rapidamente poderia resultar em morte. Hoje já não temos mais o perigo de encontrar um leão no meio da floresta ou de sermos atacados por uma tribo rival e virarmos uma presa fácil. Porém, nosso cérebro não acompanhou tanta evolução e ainda age como se vivêssemos há muito, muito tempo atrás. Assim, nossa tendência biológica é julgar o tempo todo. A nós mesmos, às pessoas e circunstâncias. É como se gastássemos energia com algo que não nos ajuda a viver melhor e ainda nos traz angústia e sofrimento. Além disso, o Crítico se manifesta de formas diferentes e geralmente se alia a outros comparsas para "proteger" a nossa sobrevivência como espécie.

SENHORA PERFEITINHA

O Insistente é o sabotador que eu gosto de chamar de "senhora/senhor perfeitinha(o)", ou seja, tudo o que você faz nunca está bom o suficiente. Ao invés de focar todo o lado positivo do que realizou, você olha o defeito, aquele deslize que ninguém percebeu, mas que faz que tenha certeza absoluta do seu fracasso.

Recentemente, fiz uma entrevista simulada com uma cliente. Nesse processo, sempre pergunto que nota a pessoa se daria e o porquê. Ao final da entrevista, minha cliente disse que sua nota seria 7 porque ela havia ficado muito nervosa, o que a deixou vermelha, com a voz trêmula e a garganta seca e porque ela havia cometido muitos erros de português. Estávamos em três pessoas na sala, todos avaliando essa profissional, e ninguém havia percebido tudo aquilo que ela mencionou como sendo o motivo para ela se dar uma nota 7. Para todos nós a sua voz estava ótima, em nenhum momento percebemos ela vermelha, e mais: sou extremamente atenta a erros de língua portuguesa e não havia pegado nem sequer um deslize nesse sentido. Essa é uma cliente que possui o sabotador Insistente muito alto, com isso ela nunca acha que está pronta e julga que seu trabalho está sempre ruim.

Quando um profissional tem esse sabotador alto, ele se torna mais lento porque suas ações são insistentemente revisadas por ele mesmo. Um e-mail que levaria dois minutos para ser escrito pode levar horas porque ele checa cada detalhe, não gosta do que escreveu, refaz e esse ciclo se torna infinito. Pessoas tão perfeccionistas assim costumam trabalhar demais – levam trabalho para casa e fazem hora extra diariamente. Esse zelo exagerado traz um sofrimento muito grande, pois não conseguimos nos desconectar e sempre operamos na crença de que poderíamos ter feito melhor quando, na verdade, fizemos do jeito que deveria ter sido feito.

Eu mesma tenho uma história muito engraçada em relação a isso. Comprei um quadro para ficar na recepção do meu escritório. Quando ele chegou, logo de cara percebi um erro de língua portuguesa. Puxa, isso é uma coisa que me pega. Eu prezo muito pelo uso correto da língua. Se eu desse espaço para o meu Insistente dominar, minha primeira ação seria ligar na loja, enviar uma foto do quadro, falar o quão absurdo era aquele erro e solicitar a troca imediata. Enquanto não trocasse o raio do quadro, não produziria com foco total. Parte dos meus pensamentos ficariam drenados por causa do quadro imperfeito. Essa era eu no passado.

Mas, assim como você, eu também preciso encontrar formas de dominar o meu sabotador, para que meu modo sábio tenha espaço para atuar. Então, o que fiz? Tirei o quadro da recepção, trouxe para minha sala e mantive o quadro ali, perto de mim. Disse a mim mesma que eu aprenderia a conviver com aquele quadro – até porque o erro nem era dos mais absurdos, era bem sutil. Essa foi a forma que encontrei de me lembrar que a gente pode – e deve! – perdoar alguns erros.

Para quem tem esse sabotador muito em evidência, gosto de aplicar os mantras: "Antes feito do que perfeito" e "Fui lá e fiz". Experimente!

DEIXA COMIGO!

O Prestativo é o sabotador típico das pessoas que não sabem dizer não. É aquela pessoa que faz tudo para todo mundo, mesmo quando não quer, porque acredita que é seu dever estar sempre à disposição dos outros, pois, do contrário, poderia ser malvista, mal interpretada e julgada. Pare e pense: quantas vezes você já não fez algo que não queria e que poderia facilmente ter dito "não", mas que disse "sim" porque não teve forças de se negar a fazer o que foi pedido? Ser prestativo não é ruim, assim como tudo na vida, essa característica só vai se tornar sabotadora para você se ultrapassar limites. Quando colocar a necessidade do outro na frente da sua causar sofrimento, é porque tem alguma coisa errada e é fundamental estar atento a isso.

Para quem está em processo de recolocação, ter esse sabotador em alta é extremamente perigoso porque faz que o profissional se desorganize e saia de seu foco, que é conseguir um novo emprego. Quem está em busca de uma oportunidade tem muito o que fazer: procurar vaga, atualizar o LinkedIn, rever o currículo, fazer contatos, esquentar o networking, ir a entrevistas etc. Mas, quando o sabotador Prestativo domina, o que acontece? Não é raro vermos essa pessoa se oferecendo para fazer algo pelos outros em detrimento do que ela deveria fazer para si. Então ela leva a mãe ao médico, vai buscar as crianças na escola, organiza o almoço, resolve pendências bancárias do amigo ou do irmão que está "preso" no trabalho, afinal ela está desempregada e pode fazer tudo isso, não é? De jeito nenhum! Ao fazer isso, você foge do seu foco, perde-se em tanta prestatividade e pior: ainda se decepciona quando não fazem o mesmo por você.

E fique atento, pois isso também acontece com o profissional que está empregado. Geralmente, é aquele que se atrasa para a reunião porque ficou ajudando um colega, ou aquele que se sobrecarrega de trabalho porque não consegue dizer não, ou seja, quer ajudar todos e acaba por deixar de lado as responsabilidades mais importantes. Esse é um sabotador muito presente na vida das pessoas, porque todo mundo quer ser legal, quer ser querido. Falar "não" para os outros traz uma sensação de que podemos deixar de ser pessoas boas, que os outros não gostarão mais de nós. Isso não é verdade. É muito provável que você seja muito mais valorizado a partir do momento em que começar a falar "não" para algumas pessoas e em determinadas situações. E lembre-se: ser prestativo não é ruim, mas é preciso haver um equilíbrio, ajudar os outros não pode gerar sofrimento, improdutividade ou prejudicá-lo.

SEMPRE ALERTA – PERIGO!

O Hipervigilante é o sabotador típico de quem apresenta um estado de alerta constante. Normalmente, quem o tem em alta acredita que o pior vai acontecer a qualquer momento e, portanto, não consegue relaxar, não consegue curtir o presente porque seu radar está sempre voltado para o que pode dar errado. Infelizmente, esse é um sabotador bastante presente para quem está em busca de recolocação.

Às vezes, o profissional já passou por situação de desemprego mais de uma vez e isso faz que o Hipervigilante dele cresça e o domine, trazendo pensamentos como: "Já é a terceira vez que estou desempregado, logo mais vou ficar de novo". Perceba o quanto isso é nocivo: o profissional nem foi contratado ainda, mas já está acreditando que, ao ser admitido, em pouco tempo estará novamente sem emprego.

Atendi um cliente que gastava muita energia pensando em tudo o que poderia dar errado no dia da entrevista. Ele deixava alarme em três despertadores, andava com uma troca de roupas no carro, chegava uma hora antes do horário previsto e escrevia tudo, exatamente tudo o que iria responder para mais de quarenta perguntas. Mas sempre performava mal, e um dia recebi o feedback de um amigo que o entrevistou. Ele tinha gostado do profissional, mas sentia que ele era sério e formal demais e que às vezes parecia que durante a entrevista estava lendo uma apresentação no Power Point. Após realizarmos a sessão sobre os sabotadores mentais, descobrimos que o nível de autossabotagem dele estava muito alto e que o sabotador Hipervigilante era o que mais se manifestava. Vou dividir com você o exercício que passei para ele e que você pode fazer independentemente do sabotador que tenha.

1. Dê um nome ao seu sabotador. Nesse caso, o cliente deu o nome de "cagão" (risos).
2. Toda vez que você tiver um sentimento de medo em relação ao que vai acontecer, saiba que não é você, e sim o "cagão". Fique presente para isso e use a palavra "CANCELA". Pense então numa cor que gosta e sinta os seus pés tocando o chão. Depois, passe a sua língua nos dentes e fique presente para essa sensação.

3. Sempre que tiver pensamentos que o deixem com medo, angústia, raiva ou tensão, mude o foco e concentre-se na sua respiração.

Depois de quinze dias realizando esses exercícios, ele estava mais calmo, tinha conseguido se livrar da insônia e fez duas entrevistas sem tanta tensão. Depois de um mês veio a boa notícia: fora contratado!

PULANDO DE GALHO EM GALHO

Agora eu vou contar sobre o sabotador chamado de Inquieto. Imagine a seguinte cena: você está no banheiro, tirando sua maquiagem e percebe que seus cílios estão fracos, então vai até o quarto e pega a caixa de remédios para pegar algo que fortaleça os cílios. Ao abrir a caixa, você percebe que ela está suja e resolve ir à lavanderia pegar um pano para limpá-la, mas, quando chega à lavanderia, percebe que há roupa para lavar e resolve colocá-las na máquina. De repente, você se dá conta de que não colocou a medicação nos cílios. Esse é o movimento da pessoa que tem o sabotador Inquieto alto: está sempre ocupado, mas não está produzindo de fato, além disso, nunca está em paz ou satisfeito com a atividade do momento.

Geralmente, o profissional que tem esse sabotador no domínio de suas ações é aquele que não fica por muito tempo nas empresas. Sua busca por excitação, variedade e novos estímulos é grande e, portanto, é o cara que está sempre pulando de galho em galho, sem parar em nenhum. Fugir de sentimentos desagradáveis também é uma característica dessas pessoas. É cheio de ideias e acaba se envolvendo em diversos projetos, mas dificilmente conclui a maioria até o fim. Tive uma cliente com uma inteligência acima da média. Falava quatro idiomas, era excelente comunicadora e entregava resultados como ninguém. Mas estava sempre entediada e como tinha um currículo fantástico mudava de emprego com facilidade. Estava prestes a pedir demissão de uma empresa onde em pouco tempo poderia virar CEO. Foram necessárias apenas três sessões de coaching para que ela entendesse o seu padrão mental de funcionamento e insistisse mais no seu emprego. Exercícios diários, meditação e monitoramento dos pensamentos a transformaram em uma das mulheres mais realizadoras daquela organização.

MONITORAMENTO CONSTANTE

Você já assistiu ao filme *O diabo veste Prada*? Se ainda não viu, corra para o sofá, prepare a pipoca e entenda que Miranda Priestly, interpretada por Meryl Streep, possui níveis elevadíssimos do sabotador chamado de Controlador. Pensamentos de controle sobre si e sobre o outro são constantes. Tudo precisa sair exatamente do jeito que ela quer, na hora em que deseja.

Líderes que possuem essas características são muito difíceis de se conviver, porque querem saber o que todo mundo está fazendo, a todo instante. Não raro, é uma pessoa que precisa de relatório para tudo, não relaxa, não descansa, não tem tempo para curtir a vida e está sempre preocupada em ter o controle de absolutamente tudo. Além disso, os profissionais com esse tipo de sabotador dominante sentem necessidade de fazer microgerenciamento de tarefas, ou seja, é uma pessoa que quer saber como foi feito, por que foi feito, para que foi feito, por que deu certo ou por que deu errado. Então, quando esse profissional se encontra em uma situação de desemprego, enfrentando um processo de recolocação no qual ele não tem controle em relação ao que está acontecendo nos bastidores, surge uma agonia muito grande.

Para essas pessoas, ter de lidar com a incerteza é muito angustiante, afinal ela não sabe se o currículo foi aprovado em uma primeira seleção, não sabe se será chamada para a entrevista e, se chamada, volta para casa sem saber qual a impressão que o recrutador teve sobre ela. O perigo de deixar esse sabotador tomar conta de você está nas ações que você pode tomar em decorrência disso, como mandar muitos e-mails ao recrutador querendo saber das fases do processo ou ligar a todo instante para ter notícias da vaga. Tudo isso pode ser devastador para sua recolocação.

Desemprego é descontrole total. Portanto, quem tem esse sabotador na cola, precisa usar essa fase para trabalhar o desapego ao controle.

DAQUI A POUCO EU FAÇO

Se você bateu o olho neste intertítulo e pensou que era o mantra do procrastinador, posso dizer que é quase isso. Quem tem o sabotador Esquivo na prevalência é uma pessoa que só quer saber de fazer o que é gostosinho.

Eu já trabalhei com uma pessoa que tinha o Esquivo alto. Tudo o que ela mais gostava de fazer era atender as pessoas. Ela podia passar o dia fazendo isso e fazia muito bem. Mas nosso trabalho na assessoria de recolocação não se resume aos atendimentos. As outras tarefas que ela tinha de realizar iam ficando para escanteio, tudo o que não gostava de fazer era deixado para o dia seguinte, ou era esquecido e não feito.

Muitas vezes, o Esquivo pode ser confundido com o Inquieto, mas, embora eles sejam próximos, a motivação de cada um é diferente. Quem tem como sabotador alto o Esquivo está em busca de afastar aquilo que não traz prazer, logo, quando ele troca uma tarefa pela outra, não está em busca de novidade ou excitação – característica do Inquieto –, mas sim de algo que traga satisfação e o afaste de tarefas indesejadas. Por exemplo, um profissional que não gosta de escrever vai adiar o máximo que puder a atualização do currículo dele, não vai querer acertar seu LinkedIn e vai arrumar uma desculpa para pular essas tarefas, ou seja, vai sempre buscar uma válvula de escape para fugir daquilo de que não gosta. O profissional que tem o Esquivo alto sempre arruma uma justificativa para fugir de uma tarefa que não lhe dá prazer. Pode ser a tinta da impressora que acabou, a luz do computador que não está adequada, sobrecarregar-se de outras atividades e até mesmo assumir tarefas que não são suas para não fazer aquilo que não é prazeroso e precisa ser feito. Muitas vezes quem tem o Esquivo alto vive perigosamente e entrega tudo no último minuto do segundo tempo e, quando tem pouca supervisão ou trabalha por conta própria, possui dificuldade de gerar resultados.

TUDO AO MESMO TEMPO AGORA

O nome do álbum da banda Titãs é perfeito para descrever quem tem o Hiper-realizador como sabotador alto. Aliás, vou confessar: esse sabotador é o que estou trabalhando, neste momento, comigo mesma para que ele diminua sua voltagem e eu opere em modo sábio. Quer ver como ele me pega? Quando completei 100 mil seguidores no LinkedIn, comemorei efusivamente por cinco minutos. Em seguida, pensei: "Por que eu não tenho 500 mil seguidores? O que eu tenho que fazer para conquistar essa marca? Minha meta é ter 1 milhão de seguidores!".

Ora, não há nada de errado em sonhar grande, pelo contrário. Porém, eu não posso sofrer com isso. O meu desejo em ter um milhão de seguidores no LinkedIn não pode me trazer dor, angústia e sofrimento. Assim como os meus 100 mil seguidores têm de me trazer a mesma alegria que eu terei ao completar minha meta de 1 milhão, afinal todas essas marcas são grandes conquistas, são resultado do reconhecimento do trabalho que eu faço. Por isso preciso aprender a comemorar minhas vitórias com a mesma intensidade e importância.

Quando saquei que o Hiper-realizador estava querendo dominar os meus pensamentos, o que fiz? Decidi dar uma festa! Convidei amigos, clientes e fiz barulho com os 100 mil seguidores conquistados. E decidi que minha meta de vida seria comemorar mais as minhas pequenas vitórias.

Quem tem o Hiper-realizador alto tem de estar em alerta, porque sempre irá querer mais e, para isso, vai estabelecer padrões muito altos e sua felicidade durará pouco tempo. Sonhar grande é saudável, ter objetivos grandes também, porém, a partir do momento em que isso começa a trazer algum tipo de sofrimento, então o desequilíbrio está imperando e o sabotador está dominando. Fique alerta.

"OH VIDA, OH CÉUS, OH AZAR"

É da hiena Hardy um dos bordões mais famosos dos desenhos animados: "Oh vida, oh céus, oh azar... isso não vai dar certo!". Personagem dos estúdios Hanna-Barbera, Hardy só espera da vida tragédias, fracasso e problemas. Eu diria que grita dentro dele o sabotador chamado de Vítima. Muitas pessoas que se encontram em situação de desemprego encarnam o próprio Hardy e desfiam as seguintes ladainhas: "Esse mundo é uma droga", "meu chefe não valia nada, fez o diabo comigo, sofri assédio moral", "tive um chefe psicopata", "ele não sossegou até me demitir", "eu sempre dei o meu sangue pela empresa, mas me deram as costas", "esse Brasil não vai pra frente, só tem corruptos", "preciso mudar de país porque aqui não tenho chance". Eu poderia encher páginas e mais páginas com frases vitimistas que já ouvi ao longo da minha carreira, mas acredito que não seja necessário, afinal você mesmo que me lê agora já deve ter convivido com alguém assim ou talvez seja você mesmo essa pessoa. Esse tipo de pensamento é clássico de quem possui o sabotador Vítima em alta escala. A solução para isso? Desenvolver o seu protagonismo.

Veja, não estou dizendo que as injustiças não existem, que assédios morais não são cometidos. Tudo isso é real, acontece e jamais devemos duvidar de quem é vítima de fato. No entanto, em muitos casos, o que acontece é que o profissional se retira do foco, assume um papel de vítima e deixa de olhar para si. Seu olhar passa a se voltar sempre para o outro e o resultado é que sua vida se transforma em uma grande porcaria por causa do outro e não dele. Quem tem esse tipo de atitude está sempre mudando de algoz. Ora é o chefe, depois é o governo e até a assessoria de recolocação que ele contratou, porque não trabalhou direito e ele ainda não se recolocou. Perceba que o movimento da pessoa gira sempre em torno de responsabilizar alguém por suas não conquistas ou perdas.

O grande problema para quem tem esse sabotador em destaque é que ele toma conta de uma tal forma que, muitas vezes, é difícil disfarçar. Então, ao chegar em uma entrevista de emprego, esse profissional começa a falar mal da antiga empresa. Em vez de falar sobre suas realizações, ele desatina a contar o porquê saiu do antigo trabalho, como isso foi terrível, o que acarretou para sua vida e todo o foco da entrevista muda. Conclusão: não é aprovado na seleção porque não teve uma performance boa na entrevista. E esse resultado traz um novo alerta, pois pode ser mais um gatilho para que o sabotador cresça ainda mais, trazendo pensamentos como "sabia que não daria certo, porque nessa empresa só entra amigos do recrutador", "para conseguir emprego nesse país só com QI" e, assim, o padrão de vítima vai sendo reforçado a cada dia.

Esse é um sabotador que deve ser combatido com afinco, porque, quando assumimos uma postura de vítima, fica muito difícil conseguir as coisas por si só, então será sempre necessário depender de alguém para que algo aconteça – de bom ou ruim. Quando surge um cliente para mim com esse perfil, antes de trabalhar sua recolocação, eu o encaminho para um trabalho de coach porque primeiro é preciso dissipar esse sabotador, para que depois seja viável um processo de inserção no mercado.

BLINDAGEM EXTREMA

Este é um sabotador que esbarro de vez em ~~sempre~~ quando. Quem o tem é visto como alguém muito inteligente, mas distante emocionalmente. Os profissionais que são Hiper-racionais fazem tudo pautados pela razão, porém, quando estamos trabalhando, também estamos nos relacionando e existem alguns vínculos que são emocionais e temos que saber cultivar isso. Nem todo mundo vai ter o mesmo raciocínio, nem todo mundo será cético ou racional demais, então, às vezes, esse profissional acaba parecendo uma pessoa fria, distante, arrogante e sofre com essa percepção dos outros. Certa vez presenciei uma cena que me cortou o coração. Um amigo tinha acabado de se separar e sua filha que estava com a mãe veio passar o fim de semana com ele. A meninas de 5 anos chorava de saudades da mãe e o meu amigo, que estava extremamente aflito, não sabia o que dizer. Então o seu sabotador entrou em ação. Chamou a filha para conversar e disse para a menina que chorar não iria resolver os seus problemas e que o choro não faria a mãe ficar mais perto. Que ela devia "engolir o choro" e fazer a lição da escola que estava atrasada. Meu amigo estava sofrendo, mas o seu sabotador dizia que sentimento é para os fracos e que chorar ou expressar emoções não leva ninguém a lugar nenhum. Fui intrometida, confesso! Dei colo para a menina e depois passei o link dos testes de sabotadores para ele. Também ofereci uma sessão de coaching *pro bono*.

8 TÉCNICAS PARA DOMAR SEUS SABOTADORES

O primeiro passo para neutralizar um sabotador mental é tomar consciência de que ele existe e compreender que ele não é você, é apenas uma voz, algo dentro do seu cérebro, mas que não o define. Inclusive, gosto da estratégia de apelidar os sabotadores. Lembro que eu chamava o meu Insistente de "perfeitinha". E, toda vez que o pensamento de perfeição vinha, eu falava: "Ah, lá vem a perfeitinha de novo". Essa é uma forma de descolar o sabotador de você, além de desqualificá-lo, o resultado é a sensação de que aquilo não lhe pertence e, portanto, se não é seu, pode ir.

Mas essa não é a única técnica para afastar um sabotador mental. A verdade é que existem várias, e vou listar algumas aqui. Uma bem simples é falar "cancela" toda vez que um pensamento sabotador aparecer. Em seguida, pense em outra coisa ou mude de atividade, tire o foco daquilo que pode trazer novamente o pensamento indesejado.

Em seu livro *Inteligência positiva*, Shirzad Chamine também ensina uma técnica muito interessante que sugere alguns exercícios ao longo do dia e nos conecta com o momento presente por meio de sensações físicas. Por exemplo, enquanto lê estas linhas, pegue agora uma caneta e sinta o seu toque. Sinta a superfície dessa caneta, perceba o que você está sentindo ao deslizar o dedo por ela, ao pegá-la com a mão. Foque isso por dez segundos. Ao fazer isso, os pensamentos negativos se dissipam.

O interessante desse exercício é que você pode fazê-lo sempre que preciso, em qualquer lugar e circunstância. Inclusive, Chamine indica fazer o exercício de dez segundos por cem vezes ao dia. Eu mesma o faço. Às vezes, entre um cliente e outro, tiro o meu sapato e fico descalça, então, vou ao banheiro do corredor do meu escritório, assim posso andar um pouco mais. Nesse trajeto, tento me concentrar nos meus pés, na textura do chão, na temperatura e assim vou minimizando minha própria voz interna, os meus sabotadores.

Agora, se você quer ir para um nível hard e acabar de vez com seus sabotadores, com seus pensamentos negativos, então comece a meditar. É impressionante como a meditação opera milagres na vida das pessoas. E não precisa ser, necessariamente, meditar. Também vale recitar um mantra, fazer uma oração. Para mim, por exemplo, a oração é uma forma de meditação. O importante é você se conectar com o presente e esvaziar a sua mente dos problemas, dos pensamentos ruins.

9 ALERTA: NÃO TROQUE UM SABOTADOR POR OUTRO

É importante dizer que, qualquer que seja o sentimento negativo – angústia, raiva, frustração –, é o sabotador mental que está em ação. Ao analisar os sabotadores que operam no seu dia a dia e qual a relevância de cada um, a tendência é que você opte por trabalhar para desativar o sabotador mais alto. No entanto, é importante estar alerta para não trocar um sabotador por outro, ou seja, ao anular uma característica negativa, elevar outra. Isso aconteceu comigo, inclusive. No meu processo de baixar o nível do meu Insistente, sem perceber elevei o Hiper-realizador.

Isso acontece porque nosso padrão mental está acostumado com pensamentos negativos e repetitivos, por isso é muito importante tomar esse cuidado. Fazer uma análise da influência dos sabotadores é fundamental, pois, às vezes, um sabotador de nível menor pode atrapalhar sua rotina e seu bem-estar muito mais do que aquele de nível mais alto.

PARTE III
PRODUTIVIDADE

10 VALORIZE SEU TEMPO LIVRE

Em uma roda de conversa, imagino que você sinta certo desconforto quando alguém, tentando minimizar sua situação em busca de recolocação, diz que daria tudo para ter o mesmo tempo livre que você tem naquele momento. Normalmente, esse desconforto surge quando estamos há algum tempo na tentativa de voltar ao mercado, mas, se você parar para analisar friamente, enquanto esteve empregado, será que não desejou esse tempo livre? Se a sua resposta foi sim, não se preocupe, não há nada de errado nisso. Muitas vezes estamos tão sobrecarregados que tudo o que mais desejamos é nos largar no sofá e fazer absolutamente NA-DA. E quem nunca sentiu isso na vida que atire a primeira pedra.

Mas, passados os primeiros dias de "folga", é hora de arregaçar as mangas e ir em busca do seu objetivo, que é a recolocação, certo? Acontece, porém, que muitos profissionais em recolocação passam os dias ocupados, mas com uma produção baixa, o que impacta diretamente no tempo de retorno ao mercado. Isso acontece, geralmente, porque as pessoas ao redor costumam achar que podem pedir tudo e a qualquer instante, afinal você não tem horário a cumprir. Sem jeito de negar a ajuda, o resultado é você às voltas com os pedidos alheios e sem foco nas ações que precisam ser postas em prática para que consiga retornar ao mercado o mais breve possível. Então, minha primeira dica é: saiba dizer "não" e tenha foco nos seus objetivos.

Com isso em mente, vamos para a lição mais importante de produtividade: valorizar seu tempo livre é vital!

Se você me acompanha nas redes sociais, sabe que eu sou obcecada pelo conteúdo que consumo. Não vejo noticiários, participo pouco de grupos no WhatsApp e passo boa parte do meu dia estudando e conhecendo histórias inspiradoras. Porém, nem sempre fui assim. Já fui o tipo de pessoa que assistia a novelas, passava anos sem ler um livro e era viciada em compras. Tenho muita vergonha em admitir isso, mas se conhecer o meu lado *trash* vai ajudá-lo, então minha missão estará cumprida.

O ponto de virada na minha vida e carreira aconteceu exatamente quando comecei a cortar todo o lixo que entrava – na maioria das vezes – pela palma da minha mão.

Apesar de eu ter construído minha imagem e meu trabalho no meio digital e ser presença constante nas redes, policio-me muito para não gastar muito tempo com o *feed* de notícias das redes sociais. Inclusive, no meu trabalho não vejo atualizações do Facebook, por exemplo. Tenho um *plugin* que bloqueia absolutamente tudo. Também uso o smartphone para assuntos profissionais e só participo de grupos que me fazem crescer. Fujo de fofocas e notícias desanimadoras. Não assisto a telejornais e não acesso sites de notícias. E nem por isso sou uma pessoa desatualizada, pelo contrário. O que é muito importante sempre chegou até mim. Aprendi que cada vez que ouvia notícias negativas isso gerava uma mudança bioquímica no meu cérebro, que afetava diretamente o meu humor e minha produtividade, então fiz um teste e parei. Posso dizer que nunca me fez falta e não me tornei uma pessoa alienada: a informação dá um jeito de me encontrar.

Troquei a televisão pela leitura e, como sou muito agitada, às vezes, é difícil ler um livro de conteúdo muito denso. Para dar conta disto, mergulhei de cabeça nos audiobooks. E quando tenho pouco tempo, olho despretensiosamente no YouTube e vejo uma palestra no TED Talking ou um vídeo mais motivacional.

No meu carro, é possível encontrar áudio de palestras, cursos gravados, mais audiobooks e, claro, músicas que me inspiram. Adoro um filme emocionante e inspirador. Biografias são os meus prediletos.

Também tenho o cuidado de não passar o dia checando o *inbox*, e-mail e mensagens no WhatsApp. Só checo as mensagens quando tenho tempo de respondê-las. Foi difícil, mas aprendi. De nada adianta você ler um e-mail na hora de dormir, mas que só poderá responder no dia seguinte.

Essas pequenas ações nos trazem algo novo a cada dia e nos ajudam a aumentar drasticamente a produtividade. E se você está pensando que sou extremamente certinha e que não me divirto nunca, já adianto que o equívoco é grande. Faço questão de manter o bom humor, adoro rir alto, dançar e me arrisco até a fazer umas piadas sem graça. Diversão também faz parte das minhas metas e por isso sou cercada de pessoas positivas e bem-humoradas.

Para você que está em busca de recolocação, anote essas dicas poderosas e comece já a transformar o seu dia a dia. O resultado será mais produtividade, foco e o que é melhor: resultado!

11 EU, COMIGO MESMA: UMA PODEROSA FERRAMENTA DE PRODUTIVIDADE

Alguns me chamam de louca, obcecada, *workaholic* e coisas do gênero. A grande verdade é que sou um pouco de tudo isso mesmo. Ultimamente, o meu pensamento não para.

Às vezes, tenho dificuldade para dormir e esqueço com frequência as ideias que tive, isso inclui minhas pautas para vídeos e artigos. Já aconteceu, inclusive, de eu me preparar para gravar um vídeo cujo tema já havia abordado num vídeo de um ano antes! Não preciso nem dizer que isso acaba se tornando um sugador de produtividade, certo? Afinal, gastei tempo e energia para fazer algo que já estava feito. E o tempo perdido não volta.

Por isso eu vou compartilhar com você uma ferramenta poderosa de produtividade, que foi dica da minha amiga Chris Brittes: crie um grupo no WhatsApp com você mesmo. Exatamente isso. Eu fiz e garanto que dá muito certo.

Nesse grupo que criei comigo – e que acesso continuamente – envio arquivos, áudios, imagens e textos para mim mesma. Aliás, vale dizer que este texto só se tornou possível porque cheguei o meu depósito de sugestões no meu "grupo de eu mesma" do WhatsApp.

Diariamente somos bombardeados com imagens, dicas, conteúdo, perguntas, textos, áudios e uma infinidade de informações. Algumas são excelentes ideias, outras nem tanto. Mas não podemos negar: todas elas, de alguma forma, podem desencadear insights incríveis para produções maravilhosas. O problema é que assim como as ideias surgem, elas também nos abandonam fugazmente. Se não as registrarmos, é muito possível que nos esqueçamos delas facilmente. Pelo menos comigo é assim.

Depois de tentar bloco de notas, caderno de anotações e aplicativos para gerenciamento de tarefas, cheguei à conclusão de que a melhor forma de depositar minhas ideias era via WhatsApp, pois ele está sempre à mão e, quando não é possível escrever, mando áudio mesmo.

Talvez você tenha muitas iniciativas, ideias e tarefas que simplesmente se perdem no tempo e no espaço por falta de um canal para anotações. Então, que tal criar esse canal de inspiração e produtividade para você?

Para criar o grupo com você mesmo é muito simples. Nesse aplicativo, clique em "Novo Grupo". Em seguida, selecione alguém da sua agenda e inclua no grupo. Depois clique em "seguinte" e dê um nome para o grupo. Por fim, exclua a pessoa que você havia incluído e pronto, agora o grupo é só seu.

Simples e rápido. Agora, é só começar a depositar suas melhores ideias ali. E bora produzir!

PARTE IV
CURRÍCULO

12 COMECE COM O PÉ DIREITO

Estou certa de que você chegou a este capítulo com a certeza de que a primeira coisa que veria por aqui seria o passo a passo para a elaboração de um currículo irresistível. Acertei? Pois já aviso que não será essa a nossa primeira etapa. E já vou logo explicando o porquê: não adianta nada você ter o currículo perfeito se não souber apresentá-lo.

Imagine uma mensagem vazia ou de poucas e indiferentes palavras, apenas com um currículo anexado, chegando ao e-mail do recrutador. Se fosse você, o que o levaria a abrir aquele anexo? Aposto que absolutamente nada. É exatamente o que fazem os headhunters que recebem e-mails com currículos anexados, porém sem absolutamente nada escrito no corpo da mensagem – ou com mensagens-padrão, denotando que o candidato nem sequer se preocupou em saber e se dirigir para quem estava enviando o CV.

Então, se você está em busca de recolocação, o primeiro passo que deve dar é ter a melhor carta de apresentação possível. E é isso que eu vou ensiná-lo a construir, antes mesmo de pensarmos no seu currículo.

A carta de apresentação não é um arquivo em separado ou uma introdução no próprio currículo. Ela sempre deve ser um texto no próprio corpo do e-mail, resumindo a sua experiência, formação e domínio de idiomas. Isso é tão simples quanto obrigatório.

Busque finalizar a carta com seu nome, telefone e e-mail. Se puder, invista em uma assinatura bonita para sua mensagem, com uma letra bacana e diferente, porém legível. Isso já vai ajudar a causar uma primeira impressão muito boa. Não esqueça que o mercado está muito concorrido e os headhunters recebem milhares de currículos. Isso significa que se a sua carta de apresentação estiver bem escrita e você estiver se apresentando bem, com certeza suas chances de chamar a atenção do recrutador e fazer que ele tenha interesse em abrir o seu currículo serão muito maiores. E lembre-se: facilitar a vida do recrutador também é muito positivo, portanto coloque no título do e-mail o nome da vaga para a qual você está se candidatando. Isso é importante porque o profissional de recursos humanos, na maioria das vezes, está à frente de diversos processos seletivos e, caso ele tenha dificuldade em assimilar com agilidade qual vaga ou área você está almejando, existe o risco de seu currículo ser descartado.

Para ajudá-lo a construir uma carta de apresentação incrível, elaborei um modelo bem bacana. Apenas atente-se para alterar o texto em destaque com as informações referentes aos seus conhecimentos. Veja só:

"Caro recrutador,

Tomo a liberdade de enviar meu currículo em resposta ao anúncio da posição acima descrita. Sou um profissional com experiência em <u>obras, atuando no gerenciamento de projetos, contratos e licitações</u>. Tenho domínio das ferramentas para <u>gestão de projetos (planejamento integrado, viabilidades financeiras, gestão de prazo/escopo/custos, análise e acompanhamento das atividades</u>).
Sou graduado em <u>Engenharia Mecânica e tenho domínio de inglês e espanhol</u>.

Acredito que possuo os requisitos necessários para a posição em questão.
Atenciosamente,
Nome, telefone, e-mail"

13 O MELHOR CURRÍCULO DE TODOS OS TEMPOS

Um bom currículo precisa impressionar no primeiro contato. É imprescindível que ele seja um documento impecável e altamente objetivo. Tenha sempre em mente que esse material precisa traduzir toda sua experiência com clareza de raciocínio, porém com um toque de sofisticação.

Elaborar um currículo com essas características requer seguir alguns passos importantes. Não se desespere, porque vou guiá-lo nessa jornada por meio de um passo a passo prático e explicativo. Vamos nessa?

Identificação: inicie o documento com o seu nome completo centralizado, registre o seu estado civil, a nacionalidade, idade, endereço completo (que deve incluir o CEP, estado e cidade), telefone residencial e celular (todos com DDD) e e-mail. Importante: **NUNCA** forneça no currículo o número de RG, CPF, carteira profissional, título de eleitor, atestado de reservista ou passaporte. Se a empresa necessitar dessas informações, ela solicitará em um estágio mais avançado do processo seletivo.

Objetivo: deixe claro o seu objetivo profissional. É importante pesquisar a respeito da vaga ou da empresa antes de definir o objetivo, pois dependendo da oportunidade ele pode ser alterado. Se você é um profissional da área comercial, por exemplo, é possível colocar o objetivo dessa forma: COMERCIAL/VENDAS/NOVOS NEGÓCIOS.

Esse exemplo serve para qualquer tipo de profissional, a ideia é que você trabalhe com títulos genéricos. Para fazer isso de forma mais eficiente, pense nos últimos cargos para os quais se candidatou e tente utilizar as palavras mais recorrentes na descrição dessas vagas. Se estiver mandando o currículo para uma vaga específica, coloque o título do cargo pretendido no objetivo.

Formação acadêmica: essa é a parte do currículo em que você deve listar os cursos de graduação, pós-graduação e especialização, sempre pela ordem do mais recente para o mais antigo, com ano de início e de término. Para quem ainda não concluiu o curso, a dica é informar isso de maneira clara, e para isso basta inserir a palavra "Cursando" e o período em que se encontra, por exemplo: "Cursando o 4º ano". Não se esqueça das certificações e do MBA, se houver. **JAMAIS** coloque a instituição em que cursou o ensino médio ou fundamental, a não ser que o empregador peça.

Resumo das qualificações: apresente uma síntese de suas competências e habilidades profissionais. Faça uma análise de suas experiências anteriores e aponte as habilidades que teve de desenvolver para realizar suas tarefas. Neste item você poderá listar de modo geral as atividades desenvolvidas ao longo de sua carreira. Comece com um parágrafo que traduz toda a sua experiência. Por exemplo:

Profissional com mais de quinze anos de experiência na área comercial – vendas técnicas, atuando com gestão de equipes, administração com foco em resultados, análise

> *de mercado, estratégia de vendas, responsabilizando-se por contas estratégicas.*

Trajetória profissional: geralmente, a experiência é o ponto que mais chama a atenção dos recrutadores. Resuma seu histórico profissional sempre se lembrando de destacar os pontos abaixo:

1. As empresas nas quais trabalhou (da mais recente para a mais antiga).
2. O período que passou em cada uma delas.
3. Seu(s) cargo(s) na organização.
4. Uma breve descrição de suas funções e responsabilidades (pode descrever com detalhes os pontos apresentados no resumo das qualificações).
5. Indique também quais foram suas principais realizações, trabalhe com fatos e dados concretos, de forma objetiva.

Se você é um profissional com alguma experiência de mercado, coloque seu histórico profissional **ANTES** da sua formação. Caso você seja estudante ou recém-formado, coloque primeiro a formação acadêmica.

Idiomas: liste os idiomas nos quais você tem algum conhecimento e, principalmente, seu nível (intermediário, avançado ou fluência) em cada um deles. Se o nível for básico, não vale a pena mencionar. Fique atento! Alguns headhunters realizam parte da entrevista em um segundo idioma, normalmente, o inglês. Então, só coloque fluência quando realmente for capaz de escrever, falar e entender de forma tranquila e natural.

Experiência internacional: caso você tenha alguma experiência de trabalho ou estudo no exterior, este é o momento de mencionar.

Vale dizer que não cabe listar viagens de férias ou turismo. Dê ênfase a programas de intercâmbios e/ou estágios no exterior. Caso você tenha participado de programas internacionais por empresas em que já trabalhou, também deve mencioná-los. Indique sempre o ano, país, cidade ou estado e o que realizou nesse período.

Informações adicionais: para finalizar, liste suas habilidades específicas, como conhecimentos de microinformática, linguagens de programação, seminários e workshops relevantes e profissionais. **NUNCA** cite cursos esportivos e atividades de lazer. No entanto, se você desenvolve alguma atividade voluntária, é hora de mencioná-la!

Ao seguir esse passo a passo, você já estará apto a pleitear uma vaga no concorrido mercado de trabalho de forma competitiva. Mas, para deixar você com um currículo ainda mais alinhado com o que buscam os recrutadores, deixo aqui algumas dicas finais muito importantes:

SEJA PRECISO. Seu currículo deve conter, no máximo, duas páginas. Utilize processadores de textos (esqueça programas gráficos, HTML ou máquinas de escrever) e escolha uma fonte simples e sóbria. Não é necessário assinar ao final do documento.

UTILIZE PALAVRAS-CHAVE. Seu currículo pode ficar armazenado em um banco de dados inteligente, o que significa que o empregador pode selecioná-lo por determinados campos. Então, lembre-se das dez últimas vagas para as quais se candidatou. Quais eram as palavras-chave mais requisitadas? Faça uma lista e insira-as em todo o seu currículo, principalmente nos resumos das qualificações e nas experiências profissionais.

MENCIONE INFORMAÇÕES QUE PODEM SER COMPROVADAS. Não inclua experiências que não possui. Você pode ter surpresas desagradáveis no futuro (se houver futuro para você na carreira após divulgar informações falsas).

FAÇA UMA REVISÃO CUIDADOSA DO TEXTO. Corrija possíveis erros de ortografia e concordância e capriche na apresentação do currículo: não o amasse nem rasure. Não é necessário encaderná-lo ou colocar capa. As informações devem ser sempre atualizadas.

NÃO COLOQUE REFERÊNCIAS PROFISSIONAIS. Se isso for necessário, o empregador solicitará em um momento mais avançado do processo seletivo.

14 INOVAR OU NÃO INOVAR? EIS A QUESTÃO!

Em um mundo cada vez mais volátil e incerto, a inovação tem aparecido como fator determinante para que tanto empresas quanto indivíduos se destaquem e saiam à frente da concorrência em qualquer âmbito. Com a escassez de vagas e a disputa cada vez maior por um emprego, já era de esperar que a inovação chegaria até os currículos, afinal eles são a primeira porta de contato entre o candidato e o profissional de recursos humanos.

Sendo assim, cresce o número de pessoas que estão apostando no chamado "currículo infográfico", em que os profissionais traduzem toda a sua experiência de forma divertida, resumida e com design arrojado. Particularmente, achei a proposta ótima, pois esse formato expressa a essência do profissional de uma forma realmente diferente. Mas, antes que você invista nesse formato, vale saber se ele serve para o seu perfil profissional. Além disso, como tudo na vida, o currículo infográfico também tem seu lado bom e ruim. Cabe a você analisar se essa proposta faz sentido para o que está buscando no momento.

Não podemos negar que um dos pontos positivos desse modelo é o fato de ele mostrar ao recrutador que o profissional é arrojado, criativo, que tem bom gosto e afinidade com tecnologia.

Além disso, esse é um modelo que gera um efeito surpresa e o destaca da multidão, já que os recursos visuais dão leveza e mostram as competências de uma maneira mais descolada. Esse também é um modelo que facilita o seu compartilhamento em redes sociais, por meio do formato de imagem. Mas esteja atento: esse tipo de currículo é mais reconhecido – e melhor valorizado – por empresas inovadoras e em áreas como design, comunicação, marketing, publicidade e propaganda.

Dito isso, é importante que você tenha em mente que áreas clássicas e empresas tradicionais não costumam olhar com grande apreço para o currículo infográfico. Profissionais mais experientes, que estejam atrelados ou em busca de recolocação nesses setores, portanto, não devem utilizar esse modelo.

Para apostar nesse tipo de currículo, é fundamental que você tenha bom gosto e saiba como fazê-lo. Caso você faça questão de ter esse modelo mas não saiba produzi-lo, então contrate um profissional de design que o fará com excelência. Um currículo infográfico malfeito pode ser devastador para a imagem do profissional.

Outro ponto que merece atenção é o fato de que, por ser mais visual, não é simples resumir de forma eficiente sua experiência profissional e mostrar todas as suas competências nesse tipo de currículo. De novo: vale conversar com alguém da área do design para traçar um caminho de discurso visual que destaque o que você tem de melhor como profissional.

Por fim, saiba que esse modelo não substitui o currículo tradicional. É fundamental que todos os profissionais tenham um documento mais textual na manga caso o recrutador solicite.

15 EVITE ESTES SETE PECADOS CAPITAIS

Sabemos que o mundo caminha, cada vez mais, para a automatização de processos. No entanto, ainda existem empresas que aceitam o envio de currículo por e-mail para uma vaga específica ou para um contato inicial entre profissional e recrutador.

Quando você for dispor desse processo, é preciso ter em mente quais são os sete pecados capitais do mundo do trabalho que você não deve cometer. Então, preste atenção na lista abaixo e risque todas essas atitudes do seu dia a dia, pois elas podem minar suas chances de recolocação. Vem comigo!

#1. O primeiro grande erro é o envio do currículo para uma lista de pessoas, ainda que em cópia oculta. Essa é uma falha bastante cometida, inclusive por profissionais de nível gerencial. Ainda hoje, apesar de trabalhar apenas assessorando os meus clientes, recebo muitos e-mails com currículos. E confesso: fico com uma péssima impressão daqueles que já começam com "Prezados".

O simples uso do termo no plural, por si só, já é um indicativo de que o documento foi encaminhado para uma lista. Ao fazer isso, o primeiro risco que você corre é de essa mensagem cair na caixa de spam. E, ainda que ela chegue normalmente, não há garantias de que será considerada. Eu, em geral, nem olho o currículo, pois aquela introdução significa que a mensagem não foi encaminhada apenas para mim, mas para muitas pessoas, fazendo uso de uma apresentação-padrão bem pasteurizada.

Se você quer se recolocar é preciso chamar a atenção para si. E, definitivamente, não é isso que você vai conseguir ao enviar mensagens padronizadas. Portanto, arregace as mangas, personalize suas mensagens e mande-as uma a uma. Use, sempre que possível, o nome do destinatário no e-mail. Explique de onde o conhece ou como teve acesso ao seu contato. E lembre-se de enviar uma carta de apresentação.

Quanto mais personalizada for a mensagem, maior é a chance de o destinatário ler o que você escreveu e lhe responder ou encaminhar o seu currículo para alguém que possa ajudá-lo a conseguir um emprego.

#2. O segundo problema dos currículos enviados por e-mail é a formatação. É muito comum verificar que houve um "copia e cola" da carta de apresentação quando a introdução veio personalizada e com um tipo de fonte e a carta aparece com fonte ou tamanho diferente do texto da introdução. A minha percepção disso é de que todo o texto é uma cópia, com exceção da primeira frase.

Esse tipo de comportamento é muito comum. Acredito já ter recebido centenas de e-mails assim. No Word e no Outlook existe uma ferramenta, o pincel, que ajusta o texto, de modo que ele fique inteiramente formatado com as mesmas características (espaçamento, alinhamento, fonte, tamanho etc.).

Parece algo bobo, mas esse tipo de coisa pode levar o recrutador a concluir que você não é orientado para a qualidade do trabalho final, preconcebendo algo sobre o seu perfil que pode eliminá-lo antes de qualquer contato.

#3. A terceira falha é também muito comum. Trata-se daquele candidato que escreveu um texto de apresentação ótimo, mas que se esqueceu de anexar o currículo. Isso já aconteceu comigo também. Para evitar esse tipo de problema, minha sugestão é que você faça um *checklist* em que possam ser incluídos itens como: currículo anexado, carta de apresentação personalizada, formatação revisada etc. Dessa forma, problemas com anexos serão evitados.

#4. Jamais envie um link externo para que o destinatário da mensagem faça download do currículo. Eu, por exemplo, não costumo baixar o material de links externos. Só atuo de forma diferente se eu conhecer o profissional ou se a sua carta de apresentação tiver sido muito bem redigida. Então evite isso, pois, se o recrutador agir como eu, seu currículo não será aberto.

#5. O quinto pecado capital já foi tratado no início deste capítulo, mas não custa reforçar: jamais envie currículo por e-mail sem uma carta de apresentação bem-feita. De novo: não precisa ser algo mirabolante, mas é fundamental que ela seja uma introdução e, portanto, seu objetivo é fazer um briefing sobre você.

#6. Sempre verifique a ortografia a cada palavra escrita. Ter cuidado com a linguagem é essencial. Infelizmente, ainda é comum que os currículos e as cartas tenham erros de português, e isso depõe contra o profissional. A boa escrita é importantíssima para a sua imagem de excelência.

#7. O sétimo pecado a ser evitado é em relação ao nome que você utiliza para salvar o arquivo do currículo. Alguns fazem uso de nomes muito bizarros. Uma vez recebi um cujo nome era "estou desesperado, quero trabalhar". Atribua nomes que possam ser associados a você. Sugiro sempre usar seu nome e a sua profissão. Não se esqueça de que tudo está sendo avaliado e esses detalhes precisam impressionar positivamente quem pode contratá-lo, portanto capriche em tudo.

# PARTE V
LINKEDIN

16 LINKEDIN: SEU PASSAPORTE PARA A EMPREGABILIDADE

Talvez você não saiba, mas cheguei até o LinkedIn por acaso. Na verdade, fui apresentada para essa rede de forma despretensiosa e acabei me apaixonando por ela. Passei dias e noites desvendando todas as suas funcionalidades e descobri ali um passaporte para a empregabilidade. Foi esse conhecimento profundo do LinkedIn que permitiu que eu unisse as maravilhas da plataforma com minha expertise como headhunter. Foi assim que a minha consultoria surgiu: passei a assessorar profissionais de diversos níveis a conseguirem se recolocar no mercado de trabalho por meio de conexões nessa rede tão poderosa. Neste capítulo, minha meta é ajudá-lo a percorrer os caminhos mais certeiros do LinkedIn, que ajudarão você também a conseguir o tão sonhado emprego novo.

Para iniciar essa jornada, vou tratar de conceitos básicos para que você já comece a utilizar a ferramenta. E quero começar falando sobre a sua imagem.

Se você tem ou quer fazer um perfil no LinkedIn, seja bem cuidadoso na hora de escolher a foto. Tenha sempre em mente que essa é uma rede de contatos profissionais e, portanto, sua imagem deve necessariamente estar em um formato que esbanje profissionalismo. Pensando nisso, organizei uma lista do que **NÃO** deve ser feito no momento de inserir uma foto em seu perfil:

1. Esqueça as imagens recortadas de festas e outros eventos. A chance de aparecer um fundo cheio de elementos ou o "pedaço" de outra pessoa que foi cortada é grande. Além disso, ao recortar uma imagem, ela perde resolução e pode ficar "pixelada". Para as mulheres, a dica é desistir daquela foto bafônica tirada no casamento da sua melhor amiga. Lembre-se: o penteado e a maquiagem são um pouco exagerados para uso profissional.
2. LinkedIn não é Facebook, ou seja, desista da ideia de colocar uma foto em que você aparece com outras pessoas. O perfil é sempre individual, com fim unicamente profissional, então não é adequado utilizar fotos com familiares ou animais de estimação, por exemplo.
3. O espaço destinado à imagem no LinkedIn é pequeno e não fica muito elegante colocar uma foto de corpo inteiro ou mesmo de meio corpo. Assim, o ideal é utilizar uma imagem que apareça do busto para cima. Mas também não precisa exagerar na sobriedade da imagem. Isso significa que aquela cara de foto 3 x 4, de terno, com um semblante sisudo e sem muita expressão também não pega bem.
4. Evite fotos tiradas pela webcam porque sua qualidade, geralmente, é ruim.

Para mandar bem na escolha da sua imagem profissional no LinkedIn, o ideal é que você utilize uma foto com fundo neutro, podendo ser uma parede ou até um quadro, desde que ele não chame muita atenção. Aposte em uma imagem do busto para cima e lembre-se: o foco é o seu rosto. Escolha roupas de cores claras, não tão berrantes e fuja de estampas muito fortes.

Uma dica bacana é pedir ajuda para alguém que goste e entenda o mínimo de fotografia: sim, vale a pena investir tempo (e até dinheiro!) para conseguir uma foto adequada, afinal sua foto será a primeira impressão ao seu respeito que quem visitar o seu perfil terá.

Agora que você está com sua imagem profissional adequada ao seu perfil, vamos tratar de outro assunto espinhoso: as postagens que você deve evitar ao máximo. Sei que falei exatamente isso parágrafos atrás, mas reforçar é muito importante: o LinkedIn é uma rede de caráter profissional, cujo objetivo principal é divulgar conteúdo na área de negócios e possibilitar networking. Qualquer postagem que fuja disso não será bem-vista e poderá atrapalhar a sua busca por recolocação. Isso significa que você deve evitar com todas as suas forças postar coisas do tipo:

1. Equações ou exercícios de raciocínio lógico.
2. Oferecer planilhas, livros digitais e outros materiais apenas para conseguir uma lista de e-mails.
3. Orações com pedido de "Amém" ou mensagens de fé. Veja, não tenho nada contra a espiritualidade de crença de ninguém, mas esse tipo de postagem não cabe em uma rede de troca profissional. Não me esqueço, por exemplo, do dia em que dei de cara com uma imagem de um bebê "orando", cujo texto pedia para abençoar os pais de famílias que estão desempregados.
4. Outro tipo de postagem que não cabe nessa rede são as de caráter político. Neutralidade é o seu mantra, não se indisponha por opiniões divergentes.
5. Jamais se apresente como um profissional em busca de recolocação em grupos que não têm esse foco. Não se exponha desnecessariamente, apresente-se para as vagas nas quais você se encaixa ao menos 80% do perfil.

6. Não faça propaganda de qualquer espécie. Recentemente, fiquei boquiaberta quando vi uma profissional da área de RH divulgando um coletor menstrual. O tema é de caráter íntimo do universo feminino e expõe totalmente a profissional em uma rede como essa.

7. Também está vetado reclamar de qualquer tipo de serviço. Faça isso em sites direcionados a esse objetivo. Ao reclamar de uma empresa ou marca, você pode estar "comprando" briga com profissionais que atuam nelas e colocando uma pá de cal numa possível empregabilidade nesse local.

Com essas premissas em mente, o restante fica fácil. Preencher o seu perfil profissional nada mais é do que colocar todas as informações possíveis sobre sua trajetória de carreira, suas habilidades profissionais e experiências. Faça isso e comece agora sua jornada para o sucesso na recolocação.

17 CHAME A ATENÇÃO DOS HEADHUNTERS NO LINKEDIN

O LinkedIn mudou substancialmente a maneira de recrutar e, graças a essa rede, o profissional está a apenas um clique de distância daqueles que possuem as melhores vagas de emprego. Em alguns casos, o recrutador nem precisa anunciar a vaga, pois, por meio das buscas avançadas que o sistema permite, é possível já realizar a abordagem direta ao profissional que preenche todos os requisitos para a função.

Mas como se fazer notar e chamar a atenção dos headhunters e recrutadores? Para tranquilizá-lo, já adianto: é muito mais simples do que você imagina. Por isso vou listar aqui dicas infalíveis que vão conduzi-lo para esse propósito. Vem comigo!

1. Escolha um título profissional que retrate bem toda a sua trajetória. Muitas pessoas colocam como título profissional o último cargo exercido. Por exemplo, que tal mudar o título de: "Gerente comercial" para "Profissional da área comercial | vendas | novos negócios"? Faça o teste e comprove que você será muito mais abordado com o novo título.
2. Coloque uma foto no seu perfil que expresse simpatia e profissionalismo. Lembre-se: pessoas entram em redes sociais para ver pessoas e, provavelmente, o olhar do recrutador

será atraído primeiro para a sua foto. Portanto, gastar um tempo produzindo a foto é um bom investimento.

3. Preencha todos os campos. Quanto mais completo estiver o seu perfil, mais na frente ele aparecerá nas buscas dos headhunters. Nesse sentido, abuse de palavras-chave, cite todas as suas especialidades, formação acadêmica, idiomas, resumo profissional, cursos, projetos etc.

4. Atualize diariamente o seu resumo profissional: mude uma palavra, acrescente ou tire um ponto e compartilhe conteúdo da sua área de atuação ou relacionado a negócios, por exemplo fotos com frases inspiradoras, artigos, vídeos motivacionais e de conteúdo ou uma mensagem de caráter profissional.

5. Nas configurações de privacidade, ajuste para que seu perfil apareça quando consultar o perfil de outra pessoa, assim ela ficará curiosa e provavelmente consultará o seu perfil.

6. Tenha uma meta diária para envio de convites: busque pessoas por palavras-chave e localização. Por exemplo, se você quer um emprego em Curitiba, deve buscar por headhunters, gerentes de recursos humanos e recrutadores dessa localidade.

7. Curta, comente e compartilhe as atualizações da sua rede e dê os parabéns às atualizações de suas conexões que aparecem no canto direito da tela.

8. Publique no LinkedIn Pulse (blog de notícias do LinkedIn). Mostre domínio da sua área de atuação escrevendo artigos e conteúdo exclusivo. Invista em textos simples, com linguagem mais informal e direta sobre algo que domina (não se esqueça de fazer uma boa revisão gramatical e ortográfica, além de escolher uma figura ilustrativa que chame atenção).

18 CADA MACACO NO SEU GALHO

Há algum tempo, clientes têm me relatado uma situação bastante embaraçosa: cantadas e elogios bem calorosos recebidos pelo LinkedIn. Uns ficam extremamente ofendidos, outros até gostam da abordagem. Isso tem acontecido com muita frequência tanto com homens quanto com mulheres.

Confesso que, pessoalmente, acabo me divertindo um bocado com as histórias que escuto, pois tenho um entendimento de que uma rede social é construída por pessoas e não há nada mais humano do que sentir atração por alguém.

No entanto, creio que a maioria dos usuários do LinkedIn não entra nessa rede com o espírito de criar relacionamentos fora do âmbito profissional, e é aí que mora o perigo da abordagem pessoal.

Se por acaso você "esbarrou" em alguém e sentiu uma atração que extrapola os motivos profissionais, não use o LinkedIn para se expressar. Guarde bem o nome e as informações do seu "target" e o procure em outras redes sociais. Uma cantada no espaço errado pode trazer sérios problemas a você e prejudicar a sua imagem ou até a imagem da organização que você representa. Portanto, use o LinkedIn para fazer contatos profissionais e se jogue nas outras redes (que hoje são muitas) para outros tipos de abordagem.

Agora, se você teve um *crush* por alguém no LinkedIn e não o encontrou em outra rede social, talvez valha a pena arriscar um contato, mas, por favor, vá devagar. No máximo, chame a pessoa para um café e use a elegância e o bom senso para não ser invasivo demais. Nesse caso, como primeira abordagem, pergunte se a pessoa tem perfil em outra rede social e se poderia adicioná-lo por lá também. Caso a pessoa aceite ser seu amigo nesse outro espaço, então é hora de usar o seu lado mais sedutor e abusar de seu charme pessoal.

Desejo que você tenha muita prosperidade em todos os aspectos da sua vida e saiba usar o bom senso para não misturar as estações e ser mal-interpretado.

Lembre-se: a abordagem certa, na rede social certa, tem muito mais chance de ser correspondida!

PARTE VI
ENTREVISTA

19 "CONSEGUI: FUI CHAMADO PARA UMA ENTREVISTA DE EMPREGO"

Parabéns! O fato de ter sido chamado para uma entrevista indica que você soube fazer um currículo atraente, destacando as informações necessárias e de acordo com o perfil da vaga para a qual se candidatou. Portanto, você já está em outra fase do processo seletivo e precisa agora se preparar para essa nova etapa.

É na entrevista que o profissional de recursos humanos poderá, por meio de perguntas variadas, conhecer melhor o candidato à vaga de emprego. É nesse momento que ele irá confirmar as informações que você colocou em seu currículo e verificar se você está alinhado ao perfil da vaga que está aberta.

Muitas pessoas não se preparam adequadamente para essa fase da seleção, o que ocasiona que sejam descartadas pelos profissionais de RH. O resultado disso é uma maior demora no processo de recolocação, o que causa ansiedade, insatisfação e frustração.

Neste capítulo, quero oferecer a você instrumentos para se recolocar em um curto espaço de tempo, desde que siga as orientações que vou passar. Por isso, quero começar alertando para o modo como você se veste para ir ao encontro do entrevistador.

Tenha em mente que a sua imagem também conta no momento da entrevista. Afinal, o modo como você se veste e cuida da sua aparência faz parte do que você é. A preocupação das empresas nesse sentido pode ser justificada, pois, em variadas situações, o profissional representa a organização. Portanto, vale a pena dedicar atenção a esse aspecto.

Para escolher a melhor forma de se vestir, considere onde será feita a entrevista. Se o local escolhido é uma empresa de consultoria, procure se vestir de modo mais formal.

No entanto, se a entrevista é em uma fábrica, considere uma vestimenta adequada ao ambiente. Por exemplo, não é inteligente usar um salto altíssimo na ida a uma fábrica, concorda? Você não sabe que tipo de piso pode encontrar e em que lugares terá de transitar.

Pensando nisso, vou aproveitar a deixa desse exemplo acima e começar falando especificamente para as mulheres. É comum que a gente se preocupe mais com a aparência do que os homens. Por isso costumamos fazer as unhas, fazer escova no cabelo e nos maquiar para ir a entrevistas.

Isso não é um problema. Pelo contrário, é sempre importante cuidar da aparência, mas faço um alerta: não venda ao entrevistador uma imagem que você não possa entregar todos os dias.

O que quero dizer é que, muitas vezes, você se produz e é contratada, mas corre o risco de ser dispensada logo depois porque a empresa precisava de alguém que transmitisse uma imagem e você, no seu dia a dia, transmite outra.

Para que isso fique mais claro, pense na seguinte situação: você foi fazer a entrevista com as unhas pintadas de nude, o cabelo escovado, um terninho e uma maquiagem discreta. Foi aprovada, começou a trabalhar e aparece diariamente vestida como uma hippie, ou então com maquiagem e esmalte berrantes, ou ainda nem sequer penteia os cabelos para ir ao trabalho.

Situações assim são mais frequentes do que você imagina. A pessoa encoraja a empresa a acreditar que a imagem vendida na entrevista é a imagem que ela terá todos os dias, mas nem sempre isso corresponde à realidade, o que pode trazer problemas futuros.

Meu conselho para evitar esse tipo de situação é que você apresente na entrevista aquilo que pode apresentar todos os dias. Se não pode manter seu cabelo escovado para ir ao trabalho, não vá à entrevista com o cabelo dessa forma.

Isso não significa que você não deva buscar sempre a melhor forma de se apresentar, mas não exagere quanto a isso. Compreender a sua identidade faz parte do processo de seleção, e essa identidade faz parte da imagem que você transmite. Então procure se expressar, inclusive na aparência, com a maior sinceridade possível.

Quanto ao calçado, muitas mulheres perguntam se seria errado usar sandálias baixas. Outras questionam a possibilidade de um sapato fechado, do tipo scarpin, ser exagerado.

Minha dica é que você avalie o tipo de empresa para cuja vaga está se candidatando. Alguns locais têm regras estabelecidas quanto à vestimenta. É o caso, por exemplo, de bancos e consultorias financeiras, que não costumam permitir que suas funcionárias usem sapatos abertos.

Na dúvida, caso não saiba exatamente qual é o perfil da empresa, use sapato fechado e de salto alto, mas nada exagerado (5 ou 7 cm).

Quanto às roupas, discrição é a palavra-chave. Sua roupa não pode chamar mais atenção do que o seu currículo. Portanto, evite decotes e vestimentas muito justas ou curtas. Escolha cores discretas, evite tons fortes e chamativos, inclusive nas roupas íntimas.

Dependendo do tipo de empresa, você não precisa usar terninho. Mas também não precisa usar a camiseta da Mulher--Maravilha e tênis. Algo que nunca é demais é o seu bom senso. Se você acionar o bom senso, será difícil errar.

Agora chegou a vez dos homens. Minha primeira dica é que você procure pesquisar o perfil da empresa e o nível de formalidade que ela exige dos seus colaboradores em relação aos trajes. Ou seja, informe-se sobre o modo como seus funcionários se vestem.

Se a empresa for muito formal, o uso do terno e da gravata é uma necessidade. Bancos, escritórios de advocacia e consultorias internacionais, por exemplo, são empresas que não se mostram flexíveis quanto ao traje para ser usado no trabalho.

Sobre os ternos: quanto mais escuros, mais formais. Azul-marinho e cinza-chumbo são as cores mais indicadas por especialistas. A camisa deve ser lisa, de cor clara e de mangas compridas.

Quanto à gravata, o ideal é que não seja muito estampada e que possua um tom que combine ou com a camisa ou com o paletó. Em relação às meias, suas cores devem combinar ou com a calça ou com o sapato.

Muitos homens têm dúvidas em relação aos botões do paletó, se devem mantê-los abertos ou fechados. A regra é a seguinte: o último botão deve ficar sempre aberto. Quando você se sentar, aí pode abrir os demais. E, quando se levantar, mantenha novamente os demais fechados, com exceção do último.

Em empresas que poderíamos chamar de semiformais, por não exigirem o uso do terno em seu cotidiano, a sugestão é o uso de uma calça de sarja ou calças jeans de cor escura e sem lavagem. O toque de formalidade nesse caso fica por conta do blazer.

Há também os casos de processos seletivos em empresas muito informais, como as agências de publicidade, por exemplo.

Nesses locais, a preocupação dos candidatos é a de que suas roupas possam passar a impressão de que são pouco criativos.

Sendo assim, sugiro usar as cores a seu favor. Você pode criar um contraste de tons ou recorrer ao uso de acessórios que façam isso, como um sapatênis mais estiloso.

Para finalizar, quero dizer que o modo como você se veste transmite mais informações a seu respeito do que você imagina. Por isso, procure buscar uma relação de equilíbrio entre embalagem e conteúdo, não permita que a sua imagem o impeça de mostrar seu potencial ao entrevistador.

20 ESSA É A HORA: DIFERENCIE-SE DOS DEMAIS CANDIDATOS

No decorrer do processo seletivo, o profissional de recursos humanos terá em mãos excelentes currículos e candidatos que performam muito bem em entrevistas, tornando difícil a sua escolha por aquele que melhor atende ao perfil da vaga.

Na maior parte das vezes, são os detalhes que definem quem será aprovado. Por isso, seu objetivo não deve ser apenas uma conversa bem-sucedida com o recrutador, e sim fazê-lo perceber que essa não se trata de mais uma entrevista e que você se preparou para aquele momento. Talvez isso seja o detalhe que o tornará diferente dos demais.

Então, tome nota de algumas dicas valiosas:

FAÇA O "DEVER DE CASA"

É comum que, mesmo antes da entrevista, você tenha ao menos o nome e o sobrenome do seu entrevistador. Se esse for o caso, faça o dever de casa: dê uma olhada no LinkedIn e tente localizar o perfil de quem vai conduzir sua entrevista. Assim você poderá saber mais sobre a pessoa, como a sua formação e outros dados do seu currículo, por exemplo. Informações desse tipo podem ser bastante úteis para gerar empatia.

E por que isso é importante? Porque permite que você crie um laço único com quem vai entrevistá-lo, favorecendo uma troca genuína sobre algo que pode ou não ter a ver com o aspecto profissional.

Para ficar mais claro, vou contar a história de um cliente que usou essa estratégia. Chamado para uma entrevista numa multinacional, meu cliente fez o dever de casa e descobriu, não apenas pelo LinkedIn, mas também consultando outros sites, que seu entrevistador era uma pessoa que trabalhava há muito tempo na empresa.

No contato pessoal com o recrutador, ele fez questão de elogiar a qualidade das instalações, citando como o espaço era bem estruturado. Sabemos que, quanto mais tempo passamos trabalhando em uma organização, mais nos sentimos apegados a ela por contribuir para o seu crescimento.

Portanto, elogiar a empresa é, ainda que indiretamente, enaltecer o funcionário que, nesse caso, era o entrevistador. Essa é uma boa estratégia e, dependendo do modo como você conduz a conversa, não soará como bajulação, e sim como a constatação de um fato.

Se a empresa é de fato bem estruturada e se o funcionário fez parte desse projeto, certamente ele tem motivos para se orgulhar. Claro que essas eram informações genuínas e verdadeiras, o único trabalho do meu cliente foi enfatizá-las para gerar mais empatia. Em nenhum momento ele foi falso ou faltou com a verdade. O que ele fez foi apenas enfatizar algo que era real e importante para o headhunter.

Portanto, buscar informações sobre o entrevistador pode render bons frutos. Especialmente se você amplia essa pesquisa para além dos limites do LinkedIn. Esse cliente que mencionei descobriu em sua busca que o entrevistador havia se casado recentemente e que passou sua lua de mel fora do país. Ou seja, era bastante provável que ele gostasse de viajar, característica em comum com meu cliente.

No momento em que conversavam, o candidato fez uso dessa informação para falar dos seus hobbies e gostos pessoais. Então, o meu conselho é que você procure descobrir pontos que possam estabelecer contato entre você e quem irá avaliá-lo. Mas seja sempre honesto. Não invente ou minta sobre sua experiência, seus gostos ou suas qualidades para forçar um elo que talvez não exista.

Não perca também a oportunidade de falar sobre a empresa. Pesquise sobre ela, saiba em que segmento atua, que produtos ou serviços vende/oferece e, se possível, não se limite ao seu site. Informe-se sobre os seus concorrentes no mercado, por exemplo. Aproveite a entrevista para falar sobre o momento em que a empresa vive, seus principais desafios e como você pode contribuir para o sucesso da organização.

CHEGUE ANTES DO HORÁRIO PREVISTO

É muito comum ter problemas com trânsito, GPS, táxi, Uber e outras coisas, mas nada justifica um atraso na entrevista de emprego. O pensamento do profissional que irá entrevistá-lo é que se você já não conseguiu se organizar para chegar na hora no primeiro contato com a empresa, é muito provável que siga o padrão da impontualidade.

Por mais que haja uma justificativa séria, dificilmente essa falha será perdoada. Então, fica a dica: planeje o trajeto da entrevista com bastante margem e, se por acaso chegar muito cedo, não fique "plantado" na recepção da empresa. Pare, tome um café nas redondezas, revise o seu currículo e, alguns minutos antes, dirija-se calmamente ao local da entrevista.

CONHEÇA AS CARACTERÍSTICAS DA VAGA

Todas as vezes que você se candidatar a uma vaga, é fundamental salvar um *print* da tela ou anotar o anúncio. Assim, quando for convocado para a entrevista, conhecerá os requisitos que foram solicitados pela empresa.

Muitos candidatos não fazem isso e, no dia da entrevista, quando vão procurar as informações, os dados da vaga não estão mais disponíveis. Isso acontece com frequência, especialmente se o anúncio estava disponível na internet.

Revise as informações sobre a posição para a qual se candidatou. Veja os pontos fortes do seu currículo que se alinham ao que a empresa deseja e use essas informações para mostrar ao recrutador que você é o candidato adequado para a posição.

NÃO FALE DESESPERADAMENTE NO INÍCIO DA ENTREVISTA

É comum, como forma de "quebrar o gelo", que o headhunter sorria para você e pergunte amenidades no início da entrevista. Recomendo que você dialogue com ele respondendo no mesmo tom.

Em seguida, com certeza o recrutador vai questionar sobre seus objetivos e sua formação. Sei que você ficará nervoso, mas não fale desesperadamente. Procure ser sucinto nesse momento inicial.

Eu mesma já entrevistei dezenas, talvez centenas de pessoas que falaram por vinte minutos, meia hora seguidamente. Quanto mais experiência você tiver, mais tentado a detalhar a informação você ficará. Entenda, falar sobre isso é importante, mas o início da entrevista não é o momento certo.

Entrevisto inúmeros executivos que têm uma carreira sensacional e, às vezes, falam de toda a sua experiência profissional (nesse caso mais de dez anos) em dois minutos.

Com isso, eles deixam de trazer dados como principais realizações, desafios enfrentados, resultados obtidos e por aí vai. A sua experiência profissional é uma das partes mais importantes da entrevista de emprego. Então, ensaie muito e reserve no mínimo dez minutos para falar sobre ela.

O que eu me refiro aqui é a necessidade de treinamento da sua capacidade de escuta para compreender a hora certa de ser sucinto ou de oferecer mais detalhes sobre algumas coisas.

O recrutador é quem vai conduzir a entrevista e indicar o momento adequado de se aprofundar em algumas questões. Saiba esperar. Não despeje toda a informação na primeira oportunidade que tiver.

SINCERIDADE DEMAIS PODE NÃO SER BOM

Houve uma época em que eu trabalhava em uma universidade e entrevistava muitos alunos que frequentemente se candidatavam a vagas de estágio. Em uma dessas entrevistas, perguntei a um rapaz qual seria o aspecto que ele considerava como ponto a ser desenvolvido. Ele simplesmente me respondeu que era muito preguiçoso.

Helloooooo? Você vai para uma entrevista de trabalho e diz a quem conduz o processo seletivo que você é muito preguiçoso? Como assim? Você espera mesmo que a vaga seja sua? Nem preciso dizer a você que a posição foi conquistada por outro candidato, né?

Outra resposta sincera que vai o eliminar do processo seletivo: "Quero usar este emprego como trampolim para mudar de área". Nenhuma empresa quer contratar um candidato e investir nele para, na primeira oportunidade que ele tiver, mudar de emprego.

Algumas perguntas podem soar inconvenientes, é verdade. Mas, às vezes, a sua sinceridade pode ser entendida como grosseria. Quer um exemplo? Certa vez, um entrevistador questionou uma pessoa sobre qual era a sua rotina fora do mundo corporativo. A resposta? Que isso não era da conta dele...

É claro que devemos ser verdadeiros, mas nessas situações devemos agir estrategicamente, buscando um alinhamento entre as nossas respostas e as expectativas da empresa.

NÃO INICIE A ENTREVISTA FALANDO MAL DA CONCORRÊNCIA

Profissionais que nos primeiros momentos da entrevista usam o tempo para falar mal da concorrência de quem os está entrevistando perdem muitos pontos. Sabemos que muitas consultorias ou recrutadores podem não ter sido amáveis ou tratado o candidato da forma como ele gostaria, mas se estou o entrevistando naquele momento e o candidato inicia uma série de reclamações sobre aqueles que fazem o mesmo trabalho que eu, acabo tendo a sensação de que ele falará mal de mim na próxima entrevista que fizer. Isso assusta o headhunter e deixa uma visão negativa do candidato.

Sem contar que, quando faz isso, o profissional perde uma excelente oportunidade de aproveitar o tempo para direcionar o foco da conversa para seus talentos e suas habilidades, o que poderia aumentar as chances de recolocação.

21 HORA DO TREINO: SIMULE UMA ENTREVISTA

Tive a oportunidade de realizar inúmeras entrevistas para seleção na minha trajetória profissional como headhunter. E, hoje, trabalhando do outro lado da mesa, como coach de assessoria e transição de carreira e recolocação, faço sempre uma "entrevista simulada" com meus clientes, na qual utilizo grande parte das perguntas que vou disponibilizar aqui para você.

Depois, avalio a performance do profissional e, juntos, trabalhamos os pontos de melhoria. Posso dizer que a minha entrevista é bem completa e que busquei fazer um apanhado geral das perguntas que faço e das que sei que alguns amigos e parceiros headhunters fazem também.

Tentei deixar o roteiro o mais completo possível, porém acho difícil alguém realizar todas essas perguntas em uma só entrevista. Você vai encontrar de tudo: aquele entrevistador que não fará nem um quarto delas e aquele que será mais minucioso.

A ideia é que você esteja familiarizado com o que surgir pela frente em termos de entrevista. Por essa razão, convido-o a ler o roteiro completo e fazer o exercício mental de responder a todas as perguntas. Assim você estará preparado para o que der e vier!

1. Você é natural de onde?
2. Mora com quem? É casado(a)? Tem filhos? Qual a idade deles?
3. Fale-me da sua formação. Por que escolheu esses cursos de graduação e pós-graduação?
4. Se pudesse voltar no tempo, faria outra graduação?
5. O que você pretende fazer em termos de reciclagem profissional (cursos, idiomas, viagens) nos próximos cinco anos?
6. Faça um resumo da sua trajetória profissional.
7. Quais foram os motivos para deixar uma empresa e buscar recolocação em outra?
8. Qual foi o momento mais desafiador da sua carreira?
9. Em que empresa se sentiu mais motivado?
10. Qual foi o momento mais difícil da sua trajetória profissional?
11. Fale sobre seus resultados em cada empresa. Se puder, ilustre com números e dados concretos.
12. Com que tipo de líder ou gestor gosta mais de trabalhar?
13. O que o motiva e o que o desmotiva no trabalho?
14. Você já teve que atuar em um ambiente de extrema pressão? Como foi essa experiência?
15. Você se considera mais focado nas tarefas ou nas pessoas?
16. Seu perfil é mais introvertido ou extrovertido? Dê um exemplo.
17. Você se considera mais um líder ou um seguidor? Prefere trabalhar em grupo, liderando uma equipe ou em uma atividade mais técnica que dependa mais de suas competências individuais?
18. Se já exerceu liderança, como é o seu perfil de líder ou gestor?
19. Você já teve que demitir alguém? Como foi essa experiência?

20. Já teve que contratar alguém? Como conduziu esse processo?

21. Qual seu objetivo profissional hoje? Que tipo de trabalho e empresa está buscando no mercado?

22. Se não precisasse de dinheiro e pudesse escolher qualquer trabalho no mundo, qual atividade profissional escolheria?

23. O que o motiva a levantar da cama todos os dias?

24. Descreva como seria um dia de semana perfeito. Fale-me o que faria desde a hora que acorda até a hora que irá dormir.

25. Fale-me dos seus pontos fortes (suas melhores competências comportamentais).

26. Descreva os pontos que ainda precisa lapidar (suas competências comportamentais que precisam de atenção). Não vale falar perfeccionismo.

27. Se eu pegasse meu telefone agora e ligasse para o seu último chefe, o que ele falaria sobre você? Quais seriam os pontos fortes e fracos que ele apontaria?

28. E se eu falasse com seus liderados, como eles o descreveriam em termos de pontos fortes e fracos?

29. Escolha uma palavra que o descreva. Pense em todo o dicionário da língua portuguesa e defina uma só palavra que melhor o represente.

30. Qual foi seu último salário e pacote de benefícios?

31. Qual é sua pretensão salarial hoje?

32. Em caso de aceitar uma remuneração menor, quanto precisa para manter suas contas em dia? Como administrará suas finanças com essa redução salarial?

33. Em termos profissionais, como vai estar daqui a cinco anos? Onde vai estar trabalhando?

34. E em termos pessoais, como será a sua vida daqui a cinco anos?

35. Por que deveríamos contratá-lo? Qual o seu diferencial diante de todos os outros profissionais que estão participando deste processo?

36. Você tem ou teve algum mentor? Fale um pouco sobre ele.

37. Você tem algum ídolo ou figura pública que seja sua inspiração? Fale-me a respeito.

38. Quais são seus hobbies? A que tribo pertence? Onde eu o encontro quando não está trabalhando?

39. Qual foi o livro que leu e que foi mais marcante em sua vida?

40. Se eu entrasse no seu computador pessoal agora e verificasse o seu histórico de navegação na internet, o que eu encontraria?

41. Por quais motivos as pessoas solicitam sua ajuda no trabalho e fora dele?

42. Você tem disponibilidade para viagens curtas e longas? Como fica a sua vida pessoal, filhos etc. quando está viajando?

43. Pode trabalhar em algumas noites e fins de semana? Já passou por essa situação? Como foi para você?

44. Você tem alguma pergunta para me fazer?

45. Existe algo que eu não perguntei e que você gostaria de mencionar?

22 ENTREVISTA ON-LINE: ELA VEIO PARA FICAR

As entrevistas não presenciais vieram para ficar. Prova disso é que elas têm sido cada vez mais frequentes, até nos casos em que entrevistador e entrevistado estão na mesma cidade.

Tudo o que nós dissemos aqui em relação às entrevistas presenciais vale para as conversas por Skype ou por outro aplicativo que tenha a mesma finalidade. Porém há ainda mais dicas que quero dar e que se aplicam exclusivamente às entrevistas em videoconferência.

FALE OLHANDO PARA A CÂMERA

Aprenda a falar olhando para a webcam, nem para cima nem para baixo. Se possível, coloque a câmera na altura dos olhos. Assim você vai gerar mais conexão.

CUIDE DO FUNDO QUE APARECERÁ ATRÁS DE VOCÊ

Prefira ambientes mais neutros e com tons amenos. Também dê preferência a poucos objetos. Evite locais aglomerados ou que estejam desorganizados. Afinal, você não vai querer passar a impressão de que é uma pessoa desleixada, não é?

EVITE RESPOSTAS MONOSSILÁBICAS AO EXPLICAR SUAS HABILIDADES E SEUS TALENTOS

Por exemplo, se o entrevistador perguntar sobre o seu domínio de Excel, mencione o último curso que fez e que recursos desse programa sabe utilizar. Algumas pessoas travam diante da câmera. Esforce-se para ser o mais natural possível.

CAPRICHE NA APRESENTAÇÃO PESSOAL

Nem pense em dar a entrevista de shorts e camiseta. Vista-se de modo a criar um ambiente mais formal e a projetar uma autoimagem profissional.

Evite tons claros, cores berrantes ou estampas elaboradas. O pretinho básico e a camisa azul cabem perfeitamente para essa ocasião.

MANTENHA A NATURALIDADE E SORRIA

Tente transmitir uma postura otimista e mostre-se entusiasmado quando for falar de si.

TENHA SEU CURRÍCULO E OUTRAS ANOTAÇÕES À MÃO

É interessante anotar as perguntas e deixar para realizá-las em momento oportuno, geralmente ao final da entrevista. Evite misturar os papéis, pois quando folheados rapidamente podem fazer bastante barulho.

ESTEJA EM UM LUGAR CALMO E LIVRE DE PLATEIA E BARULHO

Nada mais desagradável do que ter cachorro latindo ou criança chorando como som de fundo. Sabemos que, às vezes, o barulho é inevitável. Mas procure se programar para evitar tais situações.

TESTE TODOS OS EQUIPAMENTOS

Se possível, treine a entrevista com um colega antes. Nada mais desagradável do que sua webcam não funcionar bem na hora da entrevista.

ESCOLHA UM FONE DE OUVIDO COM MICROFONE

Dê preferência aos fones pequenos e discretos. Você não vai querer ficar com o cabelo todo bagunçado usando um fone de ouvido que ocupa metade da sua cabeça.

23 CONFIANÇA: A CHAVE DO SUCESSO NO PROCESSO SELETIVO

Acredite, há pessoas que não performam em entrevistas por uma explicação muito simples: falta estado mental positivo. Isso é algo que precisa ser trabalhado e aprendido, pois a maioria delas têm tudo para ser contratada: excelente currículo, preparação, conhecimento sobre a empresa e sobre a posição a ser desempenhada, competências que serão exigidas, domínio de idiomas etc.

Isso é extremamente frustrante, pois trata-se de pessoas que sabem do seu potencial, mas que no momento da entrevista, por algum motivo, travam. E essa situação faz que se sintam demasiadamente nervosas e inseguras, o que com certeza se reflete na atitude diante do entrevistador.

A pergunta é: o que fazer para evitar que isso aconteça? O conceito-chave é preparação mental. Mas não me refiro a qualquer preparo de ordem técnica, pois isso sei que você já faz. E, se não fazia, este material está ensinando a fazer. As minhas dicas se referem a uma preparação mental/emocional para que você mostre sua melhor versão ao recrutador.

Por isso, vou dar algumas dicas que serão muito úteis para o dia da entrevista:

SAIA DE CASA CEDO

É muito importante que você possa chegar ao local da entrevista alguns minutos antes do horário marcado. Isso, além de demonstrar a sua pontualidade, dá a você a chance de chegar tranquilo e não estressado com o trânsito e com a possibilidade de atraso por quaisquer razões.

Você não precisa chegar uma hora antes, mas com algum tempo de antecedência. Geralmente lhe será oferecido ao menos um café. Se quiser, aceite. Vá se ambientando ao espaço e aproveite esse tempo para cultivar um estado mental positivo. Ou seja, alimente-se de pensamentos positivos. Não deixe que o nervosismo ou o desespero tomem conta de você.

CONTROLE SUAS EMOÇÕES

Pense nas suas potencialidades, nas vitórias que já conquistou e na sua caminhada até o momento. Pense também no quanto é afortunado por ter pessoas com quem se importar e que, de igual modo, se importam com seu bem-estar.

Se tiver fotos dessas pessoas, olhe para elas. Pense que é também por elas que você está ali e sairá vencedor de mais essa etapa. Muitas vezes, quando estou nervosa, principalmente antes de iniciar uma palestra, olho a foto dos meus filhos ou mesmo um vídeo do meu pequeno sorrindo e percebo que o meu estado mental muda totalmente.

FAÇA CONTATO COM PESSOAS POSITIVAS

Se achar que vai fazer bem, ligue para alguém que poderá oferecer palavras de incentivo e levantar o seu astral. Ao mesmo tempo, fuja daquelas pessoas que só contam derrotas e que, em vez de ajudar a elevar a sua autoestima, fazem o inverso.

Evite, inclusive, ter contato no dia da entrevista com pessoas que sempre reclamam da economia, da crise, da falta de emprego e de assuntos que não lhe trazem esperança.

TENTE MARCAR AS ENTREVISTAS PARA O INÍCIO DO DIA

Caso você esteja trabalhando em um ambiente hostil, evite agendar a entrevista para o fim do dia, pois, após oito horas de trabalho em um lugar que você odeia, provavelmente estará esgotado e com um estado mental bastante negativo. Negocie e agende o encontro para a primeira hora da manhã ou falte ao trabalho nesse dia (converse e reponha as horas posteriormente).

RELEIA O SEU CURRÍCULO

Você deve ter consigo um impresso para os casos de emergência. Repasse mentalmente as respostas que gostaria de dar a possíveis perguntas que o entrevistador pode fazer. Trabalhe também a sua respiração. Para isso, respire devagar e mantenha a coluna ereta.

Se for religioso, reze. O importante é se concentrar e focar coisas boas. Lembre-se de que sucesso é um estado mental e que cada "não" que já recebeu é um sinal de que está mais perto de um "sim" e, portanto, essa entrevista pode ser o "sim" que você está há um bom tempo esperando.

Quanto mais você fizer isso, menos espaço vai haver para as dúvidas e inseguranças. Você ficará mais confiante e com certeza o entrevistador perceberá isso.

MENTALIZE

Você pode também utilizar uma técnica de mentalização que aprendi com o meu coach executivo e tenho usado em situações que me deixam nervosa ou ansiosa.

Sabe quando você tem de respirar fundo e contar até dez? É mais ou menos isso, mas na verdade você vai lembrar de seis situações na sua história de vida que o deixaram extremamente feliz e realizado. Podem ser momentos da sua carreira em que foi reconhecido, uma grande entrega que você fez, a gargalhada do seu filho, uma palestra na qual a plateia aplaudiu você em pé ou um grande desafio que você venceu.

Imagine a fotografia desses momentos e, sempre que vierem pensamentos ou emoções negativas, passe os "slides" desses instantes. Você vai ver que esses seis segundos mudam o seu estado mental drasticamente.

24 DRIBLE O MEDO DA DINÂMICA DE GRUPO

Se você foi chamado para participar de uma dinâmica de grupo e está se sentindo inseguro, com medo de fazer algo errado e ser descartado do processo seletivo, calma, respire. Vou ajudá-lo a mostrar melhor suas habilidades e a ser bem-sucedido nessa etapa da seleção.

A primeira coisa que vou dizer é: "Parabéns!". O fato de ter sido selecionado para participar da dinâmica é um indicativo de que você conseguiu se destacar. Nem todos os profissionais que se candidatam a uma vaga passam pela triagem de currículos. Portanto, fique feliz. Você tem motivos para se alegrar. Sempre que vier aquele sentimento de ansiedade ou desespero, tente ver a situação de maneira diferente. Mentalize que outros profissionais foram simplesmente descartados desse processo seletivo e trocariam de lugar com você agora para estar participando dessa atividade em grupo.

Geralmente, pessoas mais introvertidas e reservadas (assim como eu) apresentam mais dificuldade nessa etapa. Para elas, o desafio é ainda maior.

Hoje, se eu estivesse buscando emprego e fosse chamada para uma dinâmica de grupo, também ficaria bem ansiosa, mesmo com todo o conhecimento que tenho da situação.

Primeiro de tudo, tenha em mente o seguinte: a dinâmica serve para simular uma situação comum. Assim você poderá ser observado e sua habilidade para lidar com pessoas e grupos será avaliada. Geralmente também é notada a forma como você lida com as situações cotidianas que o colocam sob pressão.

Outra característica desse recurso que os profissionais de RH utilizam é que ele normalmente é empregado para selecionar vagas com perfis mais simples, como assistente ou analista.

Para posições mais estratégicas, como de gerência, não é comum que se faça uso das dinâmicas, pois, ao participar dessa etapa em grupo, os profissionais que concorrem à vaga estão sendo expostos. Isso significa que a sua concorrência vai passar a saber que você está buscando outra oportunidade.

Quando eu era headhunter, fui convidada para participar de uma dinâmica para outra empresa, mas recusei na hora, pois não poderia me expor, já que eu era conhecida no mercado e iria provavelmente esbarrar em outros profissionais de empresas concorrentes.

Porém, como atualmente há muita mão de obra disponível, pode ser que, ainda que se trate de uma posição estratégica, você enfrente a dinâmica de grupo. É muito difícil que eu consiga preparar você dizendo tudo o que pode fazer ou não para enfrentar essa etapa da seleção, pois são muitos os tipos de atividades que podem ser utilizadas. Basta você ir à primeira livraria e dar uma olhada em quantos livros sobre o assunto existem citando centenas de atividades que podem ser realizadas em grupo.

Pensando em termos gerais e lembrando todas as dinâmicas que conduzi e das experiências de clientes que foram orientados por mim, preparei as seguintes dicas:

CHEGUE COM ANTECEDÊNCIA E USE UMA ROUPA CONFORTÁVEL
Se você for mulher, evite vestidos e saltos muito altos, bem

como roupas muito justas. Para os homens, não é obrigatório que você vá de terno. Uma calça jeans com lavagem escura e uma camisa são suficientes.

NÃO SE PREOCUPE COM AS ANOTAÇÕES QUE OS PSICÓLOGOS FIZEREM DURANTE A DINÂMICA

Essa é uma atividade que faz parte do trabalho deles. Se você ficar excessivamente preocupado, pode perder o foco em relação ao principal: a dinâmica em si. Quando eu realizava esse tipo de atividade, era comum que eu chegasse mais perto dos grupos para fazer observações. Muitas vezes, os candidatos paravam o que estavam fazendo e ficavam me olhando e sorrindo. Não é necessário fazer isso. Não aja de modo artificial. Mantenha o foco na atividade proposta e tente esquecer que está sendo avaliado.

É bastante comum que as empresas, em um primeiro momento, realizem uma dinâmica de apresentação. É uma etapa para quebrar o gelo. Nesse momento, é importante que você faça uso da sua habilidade de síntese e comunicação. Às vezes, as empresas solicitam que você desenhe quem você é. Não se preocupe com a qualidade do desenho, a menos que a vaga seja para um professor de educação artística, por exemplo. Tenha em mente que as suas habilidades artísticas não estão sendo avaliadas. No entanto, como você se comunica e sintetiza o que tem a dizer, sim.

Após a apresentação, geralmente é proposta uma atividade de construção com o grupo. Podem ser debates, construção de um produto ou empresa do zero, resolver um case de negócios etc. O que essas dinâmicas têm em comum é que vão requerer que você trabalhe em grupo de modo colaborativo.

Nessa etapa, é importante que você se coloque no papel de apoiador, de facilitador do trabalho, prezando pelo foco na tarefa e pela harmonia dentro do grupo. Não se preocupe em ter a sua decisão acatada pelos colegas. Mas não deixe de fazer sugestões. Candidate-se para organizar o trabalho ou escrever as tarefas. Tente incluir todos na atividade, especialmente os que falam menos.

Você deve mostrar boa comunicação, liderança e facilidade de relacionamento interpessoal. Entretanto, muitos acreditam que precisam ser as estrelas do grupo para serem notados. Então, acabam querendo falar o tempo inteiro, não deixando que os outros apareçam. Não se engane. Não é raro que esses sejam os primeiros perfis a serem eliminados.

Seja espontâneo, equilibrado e não compre brigas. Não é incomum em atividades em grupo que haja pessoas mais difíceis e inflexíveis. Nesse momento, respire fundo e siga. É apenas um jogo. Quando você sair daquela sala, provavelmente não voltará a ver a pessoa. Sorria e ignore. Assim o recrutador perceberá a sua habilidade para lidar com pessoas difíceis. É preciso mostrar que você tem inteligência emocional.

Também é possível que essa pessoa difícil tenha sido propositalmente inserida na dinâmica para testar a habilidade do grupo para lidar com esse tipo de perfil. Assim, você tem mais uma razão para não perder a paciência e ignorar quaisquer problemas que ela crie.

A LINGUAGEM CORPORAL TAMBÉM CONTA

Então não se jogue na cadeira, parecendo estar bastante relaxado. Se estiver tremendo, segure as suas mãos. Respire fundo e controle seu nervosismo. Fale pausadamente para que todos o compreendam. Vale ressaltar que, para as mulheres, esse aspecto se conecta ao tipo de roupa que se utiliza, que pode deixá-las mais ou menos confortáveis.

Se estiver muito nervoso, vá ao banheiro antes. Olhe-se no espelho, movimente-se, erga os braços em pose de empoderamento. Prepare seu corpo para o momento que você vai vivenciar. Motive-se. Para isso, lembre-se de uma música de que gosta ou das pessoas que ama: seus pais, companheiro(a) ou filhos.

As pessoas que amamos nos inspiram a prosseguir, o que pode ajudar nesse momento. Não foque o medo, e sim a coragem. Use o sentimento que você tem pelas pessoas próximas para lhe dar forças para seguir em frente.

Tenha em mente que você não é o único a estar nervoso. Os outros candidatos possivelmente também estarão. Por essa razão, eles não ficarão reparando em você o tempo inteiro e compreenderão pequenos deslizes também.

Ao fim da dinâmica, geralmente, as salas ficam bagunçadas. Organize o seu espaço e, se possível, ofereça ajuda para organizar o restante também. Tente não ficar travado.

Passada a dinâmica, perdoe-se pelos erros que acha que cometeu. Não espere cem por cento de si e não se cobre além da conta. Não carregue consigo a necessidade de acertar em tudo. O perfeccionismo não vai o ajudar, ao contrário, ele pode sabotar você. "Feito é melhor do que perfeito." Use essa frase como lema para cada vez que errar. Inclusive, quando você estiver participando da dinâmica e perceber que cometeu um "deslize", não desanime e evite pensar sobre isso. Foque o que está acertando. Além disso, geralmente, os profissionais não são eliminados por uma frase ou uma só resposta. São descartados do processo por um conjunto de comportamentos. Então, se tiver um erro ou dois, siga em frente, pois você será analisado pelo conjunto de ações que executou.

E não se esqueça de que essa etapa da seleção visa a avaliar mais do que o conteúdo. Ela analisa também a forma. É nesse momento que o recrutador avalia você em um contexto geral, quando é necessário se apresentar com o tempo cronometrado, interagir com um grupo de pessoas e lidar com as pressões.

Por isso, sorria e seja você mesmo! Tenha fé, foco e coragem. Não se preocupe com as pessoas difíceis e mostre seu poder de comunicação e de relacionamento interpessoal. Assim você vai se destacar e será muito bem-sucedido nessa etapa do processo seletivo.

PARTE VII
RECOLOCAÇÃO 50+

25 RECOLOCAÇÃO DEPOIS DOS CINQUENTA ANOS: ISSO É POSSÍVEL?

Se você tem mais de cinquenta anos, é preciso estar muito preparado para o mercado de trabalho. Isso não significa, necessariamente, que você precise de um emprego com vínculo CLT. Pense comigo: você tem mais de cinquenta anos, possui força de trabalho, energia e motivação, então o que precisa é de um trabalho com remuneração, certo?

Como isso vai acontecer não importa. Pode ser que seja via CLT, pessoa jurídica, consultoria ou outros formatos de vínculo. Nesse momento, o importante é que você mostre flexibilidade para entender e aceitar novos modelos de trabalho.

Normalmente, quem tem mais de cinquenta anos perdeu o emprego ou não está performando bem por causa da falta de intimidade com a tecnologia. Então, preste atenção: você tem obrigação de estar muito antenado a tudo o que se refere à tecnologia. Sendo assim, invista em cursos se esse não é o seu forte. É fundamental que você entenda de e-mail, Power Point, internet, entre outras funcionalidades da era digital. Se estiver muito difícil, aproveite os filhos – e até os netos – e peça umas aulas particulares. Tenho certeza de que além de adquirir conhecimento, você também receberá muito carinho.

Outra dica importante é: invista na sua apresentação pessoal. Observe como as pessoas estão se vestindo. Hoje, não há mais necessidade de se apresentar de terno e gravata para a entrevista. Recentemente, recebi um profissional maravilhoso, cheio de qualidades, eu adorei ele, mas não havia maneira mais clichê de ele se vestir para falar comigo: ele veio de terno azul e com uma gravata vermelha. Ele estava superelegante, mas o terno e a gravata, em um primeiro contato, numa consultoria, estava o envelhecendo ainda mais. O ideal, então, era que esse profissional se apresentasse de forma mais despojada. Portanto, esteja atento a como as pessoas estão se vestindo no mundo. Observe como as pessoas de trinta anos se apresentam e adeque-se a essa realidade.

É muito importante também você mostrar que está com a saúde em dia e que possui muita energia. Imagine se você chega para a entrevista com uma postura arcada, menos energética e sem empolgação. Será que o recrutador vai ver isso com bons olhos? Claro que não! Porque o que ele deseja é sentir o quanto você ainda tem para oferecer ao mercado de trabalho.

Ah, e o seu networking? Ele é fundamental nesse processo. Se você possui mais de cinquenta anos, então já conheceu muita gente e isso é muito bom. Assim, mostre para as pessoas que você quer se recolocar, faça contato, mas lembre-se: o mundo mudou e nem todo mundo atende mais telefone, ou seja, não se prenda apenas a esse meio para ativar sua rede de contatos. Use as ferramentas digitais como WhatsApp, LinkedIn e Facebook para se conectar com aqueles que podem ajudá-lo nesse processo de volta ao mercado. E não fique avesso às redes sociais. Se bem utilizadas, elas podem ajudar muito.

Por fim, mas não menos importante, você precisa deixar o seu currículo mais contemporâneo. Você pode não acreditar, mas eu ainda recebo de pessoas com mais idade currículos com folha de rosto. Isso não existe mais há muito tempo. Então, revise seu currículo, deixe ele muito bem escrito, com no máximo três páginas e com um layout moderno. E lembre-se: também não se usa mais a carta de apresentação de próprio punho. Hoje, ela é uma breve introdução ao que você busca e pode oferecer descrita no corpo do e-mail no qual enviará o currículo para o recrutador.

Deixe a formalidade de lado, mostre que você é um profissional despojado, cheio de energia, atualizado e com muito ainda a oferecer ao mercado de trabalho.

26 APOSTE NO SEU MARKETING PESSOAL

Você é um profissional com mais de cinquenta anos, o que significa que acumulou muita experiência e já lidou com diversos cenários econômicos e corporativos. Imagine o quanto você não tem a oferecer ao mercado de trabalho. Mas, no momento, está em busca justamente de uma oportunidade.

Pensando nisso, será que não está na hora de vender a si mesmo e fazer mais autopromoção? Em primeiro lugar, é preciso que você se liberte do peso negativo que essas expressões trazem. Muita gente diz que odeia marketing pessoal e que não nasceu para divulgar a si mesmo, mas o fato é que elas odeiam o modo como, em algum momento de sua vida profissional, esse marketing foi feito, seja de forma agressiva ou falsa, ferindo seus valores. Lembro que uma vez comprei um colchão que o vendedor garantiu que era de molas ensacadas, mas não era. Foram muitas noites maldormidas, a loja se recusou a trocar a mercadoria, e só consegui resolver a questão quando entrei no Juizado de Pequenas Causas. Ou seja, foi um desgaste enorme.

Mas o que acontece com muita gente é que, partindo de uma experiência negativa como essa, acabam criando aversão a vendas ou marketing e, consciente ou até inconscientemente, acreditam que todo vendedor, marqueteiro ou quem se promove é mentiroso e enganador.

Então, para começar é preciso ressignificar o que é marketing pessoal e autopromoção. Tenha clareza de que encontramos diariamente profissionais competentes, íntegros e dedicados e que, por outro lado, também encontramos aqueles que não possuem essas características. Ambos os profissionais podem fazer marketing pessoal, mas geralmente reparamos naqueles que vendem uma imagem que não conseguem entregar. E isso não tem relação com a autopromoção, e sim com o perfil daquele que se promoveu.

Podemos recorrer a um provérbio bastante conhecido que diz: "Quem não é visto, não é lembrado". Inclusive, vale a reflexão: o fato de você, hoje, estar em processo de recolocação não está ligado à ausência de marketing pessoal em algum momento da sua carreira?

Se você não sabe como fazer ou como melhorar o seu marketing pessoal, atente para algumas questões: você sabe vender uma ideia em uma reunião? Como é que você se comunica com as pessoas em um ambiente profissional? Como anda a sua escrita? Você apresenta grandes dificuldades quando precisa escrever um relatório ou e-mail importante?

O que quero dizer é que marketing pessoal se vincula ao modo como você se comunica tanto oralmente quanto por escrito. Então, um dos primeiros passos a observar é se você consegue vender bem uma ideia, usando a clareza e a objetividade a seu favor. Se não tem certeza de que desenvolveu essas habilidades de forma satisfatória, meu conselho é investir nesse aspecto. Pesquise sobre o assunto e procure exercitar sua comunicação. Isso é muito importante. Aproveite essa fase da vida em que tem mais tempo disponível para ir em busca de material e estudar para aprimorar os *gaps* que você sabe que possui.

Lembre-se de que você pode promover o seu trabalho de modo íntegro, respeitando seus valores, sem precisar passar por cima de ninguém para que suas competências sejam notadas. Um investimento em autopromoção certamente gerará uma oportunidade mais rápida.

Eu, por exemplo, já fui chamada de marqueteira. E depois de muito relutar aprendi a ficar feliz por isso, pois se eu não falar do trabalho que desenvolvo e da metodologia que uso para outras pessoas, quem é que vai falar? E, sim, muitas vezes, é o meu marketing pessoal que traz clientes. Eles, por sua vez, ao indicar meu trabalho, trazem outros clientes. Para os novos clientes, assistir aos meus vídeos e ler meus artigos faz que tenham muito mais segurança em contratar meus serviços para ajudá-los com a sua transição de carreira. Quando não promovo minha empresa, estou tirando a chance de um profissional ter uma assessoria séria, íntegra e de qualidade. Quantas empresas deixaram de o contratar e tomaram a decisão errada de empregar um candidato menos competente somente pelo fato de esse profissional ter vendido melhor a imagem dele do que você a sua? Nesse caso, a falha foi sua.

O que é importante esclarecer também é o tipo de marketing que você pode realizar. Muitas pessoas acham que fazer marketing é a mesma coisa que fazer vários posts divulgando suas competências e ficar se promovendo o tempo todo. Estamos na era do marketing de conteúdo. Isso significa que é preciso que você esteja pronto a oferecer, de preferência diariamente, conteúdo para a sua audiência, ou seja, para o público que você quer atingir. Quando faço isso, sei que estou oferecendo material a muita gente que nunca vai poder contratar os meus serviços. Mas não vejo problemas. Pelo contrário, fico muito feliz em poder ajudar essas pessoas a se recolocarem e sei que faço isso, pois recebo esse retorno diariamente.

É preciso doar os seus talentos, mesmo que isso não traga retorno financeiro imediato ou diretamente.

Uma dica que dei para uma cliente que não sabia por onde começar a desenvolver seu marketing pessoal e que acho que vale a pena compartilhar contém três passos.

O primeiro é escolher três pessoas que, na sua visão, sejam profissionais competentes, íntegros e honestos e que, além disso, saibam fazer um bom marketing pessoal.

Depois, comece a estudar a vida desses profissionais. Observe coisas do tipo: o que fazem e como fazem? Como se expressam? O que compartilham? Faça um estudo profundo das características deles por um período de mais ou menos um mês. O objetivo é usá-los como modelos.

Em seguida, planeje três ações de marketing pessoal que você possa fazer e que possam promover o trabalho que realiza. Fazer um vídeo falando sobre quem você é, publicar um artigo no LinkedIn, permitir-se se divulgar mais em uma entrevista de emprego, dar uma palestra e depois postar as fotos desse evento nas redes sociais são exemplos de ações que podem ser realizadas.

Lembre-se sempre da importância de fazer o seu trabalho ser visto por outras pessoas. Isso fará toda a diferença na sua vida profissional. E, quando você é íntegro e competente, ao se promover estará beneficiando quem pode o contratar. Não negue isso ao Universo.

PARTE VIII
PERGUNTAS E RESPOSTAS

27 PERGUNTAS DOS MEUS SEGUIDORES SOBRE CARREIRA E RECOLOCAÇÃO

Ao longo de todos esses anos em que tenho atuado como coach de carreira, acumulei uma série de dúvidas dos meus clientes sobre os mais variados temas relacionados à recolocação. Para mim, não existe pergunta que não mereça resposta. Pelo contrário, porque o que parece simples para uns pode ser um bicho de sete cabeças para outros. Por isso, decidi compilar as angústias e dúvidas e respondi a todos os que me procuraram até hoje.

Este último capítulo tem como intenção ser um guia rápido de busca. A ideia é que você possa vir até aqui e procurar de forma simples e efetiva a resposta para sua dúvida do momento, de acordo com o tema ao qual ela pertence. Espero que você encontre aqui a resposta que vai acalmar seu coração e ajudá-lo a seguir em frente com coragem, confiança e assertividade. Bora lá?

EM BUSCA DA VAGA PERDIDA

O primeiro bloco de perguntas e respostas não poderia ser outro senão aquele que vai ajudá-lo a entender, de forma rápida e precisa, o que vale ou não na hora de buscar uma vaga de emprego. Então vamos ao miniguia que o levará ao seu pote de ouro!

1. Vale a pena cadastrar o currículo em sites espalhados pela web?

Em poucas palavras, eu diria: se joga na web! Há uma série de sites nos quais vale muito a pena fazer o cadastro. E não estou falando só dos sites de consultorias de RH e bancos de currículos, mas também os das próprias empresas. Se você é daqueles que olha torto para os links "Trabalhe conosco" que geralmente as empresas têm, então é hora de mudar essa atitude. Já conversei com profissionais de RH que me disseram que o primeiro lugar onde vão olhar quando estão em busca de um profissional é no banco de dados interno da empresa. Eles consideram que quem está no banco já tem interesse na vaga e, muitas vezes, tem também o perfil desejado. Eles até reclamam que é comum não terem volume de currículos nos bancos. Por isso aconselho: faça o cadastro! Pode ser que a oportunidade dos seus sonhos surja daí.

2. Como buscar uma vaga na internet?

Depois de fazer os cadastros nos sites das empresas, busque cadastrar seu currículo nas páginas das grandes empresas de recrutamento. Digite algo como "vagas de emprego" no Google e ele certamente vai sugerir dezenas de consultorias nas quais você poderá realizar seu cadastro. Também sugiro fazer uma busca mais específica por cidade. Por exemplo, suponhamos que você queira se recolocar em Campinas. Então digite no site de busca "headhunter Campinas", "consultorias de RH em Campinas", "recrutamento e seleção em Campinas", "empresas que estão contratando em Campinas", entre tantas outras possibilidades.

Para melhorar ainda mais a busca, tenho outra dica: use filtros. Filtre, por exemplo, informações das duas últimas semanas ou do último mês. Assim não verá notícias antigas.

3. Posso atirar para todos os lados e me cadastrar em todas as vagas disponíveis?

Sei que não é fácil esse momento de transição. Os boletos não param de chegar, não é mesmo? E vai dando aquela angústia com o passar do tempo. Mas se você quer se recolocar de forma efetiva no mercado de trabalho, não saia atirando em todas as vagas. Pergunte a si mesmo: "Em qual empresa gostaria de trabalhar e que tem a ver comigo?". Pense em termos de filosofia de vida, aderência de valores, segmento de atuação e porte da empresa. Fica mais fácil chamar atenção em empresas nas quais sua experiência pode ser facilmente transferida. Por exemplo, se você sempre trabalhou em empresas multinacionais de grande porte e no segmento automotivo, é muito mais fácil se destacar em empresas também multinacionais, de um porte maior e cujo segmento tenha similaridade ao que você atuou anteriormente.

Então, reforço: cadastre seu currículo em organizações que possuam postos de trabalho nos quais você se enquadre. Considere para isso a sua experiência profissional e busque empresas de segmentos ou serviços similares aos que você já atuou e nas quais você não precise de muito treinamento para começar a gerar resultado.

Não estou dizendo que você não possa mudar de ramo ou de porte de empresa, mas sim que fica muito mais fácil chamar atenção quando sua experiência anterior tem similaridades com a empresa para qual está se candidatando. Espero que no futuro isso mude, pois sei que nosso potencial é ilimitado e o que vale mesmo é o perfil comportamental. Mas, neste momento, minha missão é contar qual é a prática de mercado da maioria das empresas.

4. Quando o anúncio de uma vaga está em inglês, é obrigatório enviar o currículo nesse idioma?

Não e sim, eu diria. Se o anúncio não solicita o envio do currículo em inglês, não é obrigatório. Mas seria interessante você enviar duas versões dele: uma em português e outra em inglês. Isso é bom porque, apesar de você necessitar ter fluência no idioma para ocupar a vaga, não necessariamente a pessoa que receberá o seu CV (um assistente ou estagiário, por exemplo) domina essa língua estrangeira.

5. Enviar muitos currículos aumenta a chance de recolocação?

Muitos profissionais se enchem de orgulho ao dizer: "Hoje enviei cem currículos e me candidatei para mais de trinta vagas". Geralmente, parabenizo pela determinação e pelo empenho, mas ao fazer uma análise já percebo que não terão retorno positivo, pois um dos principais erros que um profissional comete ao procurar um novo desafio é deixar-se levar pelo desespero e sair por aí distribuindo currículos sem critério algum.

Lembro-me de ter atendido a uma profissional que fez uma planilha em que constava o envio de mais de mil currículos e a candidatura a mais de trezentas vagas em um período de dois meses. O resultado: duas entrevistas marcadas por empresas que queriam que ela "pagasse" para participar de processos seletivos. Ou seja, foi uma presa fácil para quase cair em um golpe muito comum no mercado.

É preciso calma, consistência e planejamento para se recolocar com rapidez. Tenha como foco de busca empresas que irão se interessar pela sua expertise e experiência anterior, candidate-se a vagas nas quais você atende ao perfil solicitado e sempre que possível personalize seu CV e a carta de apresentação (geralmente, uma introdução no e-mail) para cada contato realizado. Use as redes sociais para se manter presente. Curta, comente e compartilhe o conteúdo dos profissionais de RH e headhunters. É uma maneira de ser visto e começar o contato. Persista e tenha como meta aumentar seu networking, e não simplesmente mandar centenas de currículos.

6. É verdade que existem vagas de emprego falsas?

Sim, é verdade. Mas é preciso estar atento ao que pode levar a isso, para que você saiba como reagir em cada caso. E vou ajudá-lo nessa tarefa.

Minha primeira dica é: observe o tempo de divulgação da oportunidade de trabalho. Se ela estiver lá há semanas ou meses, possivelmente já foi preenchida e continua sendo divulgada apenas para que o site mantenha seu número de acessos alto. No entanto, para ter certeza disso, verifique a que consultoria ou empresa a oportunidade está vinculada e vá diretamente ao site dessa empresa. Lá você poderá checar se existe alguma vaga com as mesmas características ou requisitos. Caso a oportunidade não esteja listada na página, entre em contato por telefone ou e-mail para verificar.

A segunda dica é: nem sempre a vaga que não tem muitas informações disponíveis é antiga ou falsa. Às vezes, trata-se de uma vaga confidencial, que é usada por uma empresa como chamariz, para captar currículos de candidatos. Isso acontece, por exemplo, quando a empresa deseja contratar alguém para substituir um funcionário que ainda não foi demitido e não quer que ele saiba da existência do processo seletivo. Então, ela anuncia uma vaga que não existe para receber currículos dentre os quais poderá selecionar candidatos para a oportunidade que ela vai dispor em breve. Nesses casos, não há muito o que fazer, pois se torna difícil obter qualquer informação sobre as características da oportunidade que foi divulgada e assim ter certeza de que ela é verdadeira.

7. Fui chamado para uma entrevista, mas não tenho mais acesso aos detalhes da vaga. E agora?

Infelizmente isso acontece muito. Para não cair nessa cilada, em uma próxima vez, meu conselho é: sempre faça um *print* da vaga para a qual se candidatou. Isso é importante porque, às vezes, ao ser chamado para a entrevista, o link da posição já expirou e você não conseguirá lembrar quais são os requisitos que a vaga pede. Essa informação é bastante válida para saber o que enfatizar no momento da entrevista.

8. Nome "sujo" atrapalha no processo de recolocação?

Isso depende muito da instituição que está contratando. Há empresas que, apesar de saberem da negativação, reconhecem que existe uma crise financeira e que muitos brasileiros devido a isso não têm conseguido manter seu nome limpo. No entanto, se a vaga for para a área financeira ou contábil é possível que a contratação não seja efetivada, afinal essas áreas lidam diretamente com dinheiro, o que leva a organização a ser mais conservadora nesse sentido.

Mas é preciso saber: existem empresas que, mesmo reconhecendo que o profissional é excelente e sob medida para o que precisam, decidem não contratar pessoas que estejam com o nome "sujo".

É claro que há empresas que nem fazem checagem, porém você não tem como saber se elas realizam ou não esse tipo de consulta. Se você está com o nome negativado neste momento, isso não é o fim do mundo. Não se martirize pelo que já passou. Agora é hora de tentar resolver a situação.

9. Tenho duas entrevistas de emprego no mesmo dia e horário. E agora?

Você não deve mentir, embora não seja obrigado a dar detalhes do que o impede de participar da entrevista no dia e horário agendados. Então como resolver o impasse? Avise, por telefone ou e-mail, ao recrutador que possui um compromisso muito importante agendado anteriormente e que não pode ser adiado. Em seguida, mostre sua disponibilidade para reagendar a entrevista. Diga que fora aquele dia e horário, toda a sua prioridade será dada ao agendamento desse compromisso, pois tem muito interesse em participar do processo seletivo.

Esse tipo de negociação é mais fácil quando se trata de uma entrevista individual. Em casos de dinâmica de grupo ou etapa que envolva a participação de diversos entrevistadores, esse remanejamento pode não ser possível. Sendo assim, avalie se não é mais fácil reagendar com a outra empresa.

10. Muito tempo em uma empresa (mais de sete anos) atrapalha na busca de emprego?

O fato de você ter ficado muito tempo na mesma empresa ou cargo pode ser: um fator que some a seu favor, um fator limitante ou algo neutro. Como você não tem controle sobre os bastidores do processo seletivo, é melhor desapegar e não gastar energia mental se preocupando com isso.

O mercado mudou muito, as pessoas são mais voláteis e ficar muito tempo numa mesma empresa pode até parecer estranho, mas tudo é questionável. Eu, por exemplo, quando recebo um currículo assim tenho o cuidado de verificar a história da pessoa durante todo esse tempo dentro da organização. Muitas vezes, o profissional rodou o Brasil a trabalho, mudou de área, participou de projetos diversificados, atravessou momentos de muita mudança organizacional e foi desafiado cotidianamente.

E lembre-se: existem empresas (geralmente as mais tradicionais) em que o ritmo de mudança é mais lento e que valorizam o funcionário fiel. Pesquise sobre elas e direcione o seu currículo para esse meio.

11. Recebi uma ligação me convidando para uma entrevista de uma vaga que não me candidatei. Isso é golpe?

Na maioria das vezes, sim. Tenho clientes, inclusive, que já passaram por isso. Normalmente, você recebe uma ligação informando sobre uma vaga com seu perfil, com ótimo salário e benefícios atraentes, então a entrevista é marcada. Ao ser entrevistado pelo recrutador, você recebe a informação de que está em uma empresa de recolocação e que, para se candidatar à vaga, é preciso contratar o serviço de assessoria. Somente após contratar o serviço deles é que você será indicado ao seu cliente, ou seja, a empresa detentora da vaga.

Infelizmente, são grandes as chances de essa suposta vaga nunca ter existido. A questão não é o quanto se precisa pagar para ter acesso às vagas que a maior parte das pessoas não tem. Ainda que se trate de um valor acessível ou mesmo irrisório, há grandes chances de você estar caindo em um golpe, pois há empresas se aproveitando da necessidade de recolocação das pessoas para vender serviços. Portanto, fique atento.

12. Como saber se preciso de um headhunter ou de um jobhunter?

A resposta para essa pergunta mora justamente na explicação sobre o que cada um faz. O **headhunter** é um profissional cujo cliente é a empresa, ou seja, é a organização que vai remunerá-lo para que ele encontre o melhor profissional no mercado e conduza o processo seletivo. Em hipótese alguma o headhunter pode cobrar (financeiramente) do profissional que ele selecionou para participar do processo. Ele também não faz assessoria para recolocação, pois, nesse caso, ele teria que cobrar das duas pontas do processo e isso não seria muito ético. Exceção à regra são as empresas que fazem os dois serviços e que tomam o cuidado de ter equipes diferentes para o trabalho de headhunter e de jobhunter.

O **jobhunter** assessora o profissional que está em busca de uma nova oportunidade no mercado. Existem duas possibilidades para sua contratação: o próprio profissional em recolocação solicita o trabalho (pessoa física) ou a empresa que desligou o funcionário patrocina o processo de recolocação (pessoa jurídica). Nos dois casos, o jobhunter trabalha com o serviço de assessoria para recolocação do profissional (*outplacement*). Quando um jobhunter indica seus clientes para o mercado, ou seja, para headhunters parceiros ou empresas, ele não pode cobrar (financeiramente) da empresa ou dos headhunters, pois já está sendo remunerado para atuar na recolocação do seu cliente.

13. Quero ampliar minhas chances de contratação, por isso estou disposto a buscar vagas em outra cidade. Qual a melhor forma de fazer isso?

Ótima ideia em momentos de crise. O primeiro passo para isso é: tenha um número de telefone da cidade onde você quer se recolocar. Fazer isso é simples: basta adquirir um chip de telefone celular com o DDD da cidade na qual deseja conseguir emprego. O passo seguinte é criar um segundo currículo. Nele deve constar o seu número de telefone novo, com o mesmo DDD da cidade em que está procurando trabalho.

Essas ações são importantes porque é comum que os profissionais de recursos humanos que estão conduzindo o processo optem por pessoas que já residem na cidade. Isso acontece porque uma mudança envolve tempo e custos, o que pode atrapalhar o seu início no novo emprego. Então, para evitar transtornos, é comum priorizar pessoas que já residam na cidade cuja vaga está em aberto. Para evitar que essas questões sejam tratadas logo no início da seleção, o que poderia fazer que você fosse descartado do processo, é interessante fornecer informações da cidade onde se localiza a vaga. Caso receba uma ligação do entrevistador, não minta. Seja franco e diga que está residindo atualmente em outra cidade, mas que pretende mudar em breve para a cidade na qual se localiza a vaga.

Por último, mas não menos importante, altere a sua cidade de residência na conta no LinkedIn. Retire a cidade onde está agora e acrescente aquela onde você planeja se recolocar. Porém lembre-se de colocar uma observação no seu perfil dizendo a cidade que você de fato reside e a sua disponibilidade para mudança. Essa observação pode estar no seu resumo profissional. Infelizmente essa rede social só permite a informação de uma cidade, portanto procure privilegiar aquela em que você tem mais interesse de conseguir um novo trabalho.

14. Suplicar por uma vaga amolece o coração do recrutador e ajuda na recolocação?

Infelizmente, não. Mensagens desesperadas, que retratam a situação terrível que o profissional está vivendo (muitos anos desempregado, número de filhos para sustentar, dívidas e dependência de ajuda de familiares etc.) afastam as pessoas que podem o contratar. Os responsáveis por recrutamento estão em busca de talentos, profissionais competentes e que estejam bem emocionalmente. Portanto, regra número um: não use as redes sociais para desabafar ou enviar mensagens que possam retratar o seu desespero. Isso pode mais prejudicar do que ajudar. Sei que você deve estar vivendo no caos e que é muito difícil não ficar depressivo com toda a situação, mas quando você for postar, mandar um e-mail ou enviar uma mensagem tente focar a sua competência e a sua disposição para um novo trabalho. Ou seja, mostre que você tem vontade de fazer acontecer, retidão de caráter e que pode crescer em conjunto com a organização. Mostre o quanto você é resiliente e capaz de atravessar o período mais difícil da sua vida com dignidade e esperança.

15. O que eu posso fazer para acelerar minha recolocação?

Existem algumas ações que devem ajudar a acelerar sua volta ao mercado de trabalho. A primeira delas é ter um currículo campeão, que retrate bem a sua experiência e o seu objetivo profissional. Use o LinkedIn como seu aliado, preencha a maioria dos campos e tenha muitas conexões. Abuse das buscas avançadas e faça networking por meio da ferramenta.

Não tenha medo de dizer aos amigos, parentes e conhecidos que você está em transição de carreira. Às vezes, a tão sonhada vaga está mais perto do que imagina, mas se você não fizer a sua parte e não divulgar que está em processo de recolocação e avaliando o mercado, pode ser esquecido até mesmo por seus amigos.

Aproveite o tempo fora do mercado para se reinventar. Faça cursos, evolua na leitura e desenvolva novas competências. Abuse da quantidade de cursos gratuitos e vá para a ação. Mostre que você está atualizado e sabe fazer a gestão do tempo.

Manter o otimismo também é muito importante. Nada como um tempo fora do mercado para testar nossa capacidade de resiliência e comportamento sob pressão. Mostre que você reage bem sob estresse e encara bem os desafios.

Por fim, agradeça. Mesmo nos piores momentos pratique a gratidão. Agradeça por sua saúde, sua família, sua capacidade. A simples prática da gratidão opera milagres.

CURRÍCULO: MODO DE USAR

Agora que você não tem mais dúvidas em relação ao que deve ou não deve fazer durante sua busca por vaga de emprego, vou responder às principais dúvidas em relação ao documento que é sua porta de entrada para o processo seletivo: o currículo. Vamos nessa?

16. O currículo pode ter mais de duas páginas?

Essa é uma dúvida muito recorrente e a resposta vai depender do tempo de experiência que você possui. Se você é um profissional com mais de sete anos de atuação no mercado de trabalho, realmente será difícil construir um currículo de apenas duas páginas. Portanto, desapegue dessa regra e descreva toda a sua trajetória sem medo. O mais importante a focar é que seu documento tenha um objetivo claro, um resumo forte das suas qualificações e que seus quatro últimos cargos sejam muito bem descritos. Em vez de se apegar ao número de páginas, invista num currículo muito bem escrito, com uma ortografia impecável. Para você ter uma ideia, muitas vezes profissionais com mais de dez anos de atuação chegam a ter currículos com quatro páginas.

17. Tenho que colocar foto no currículo?

Certamente você encontrará muita divergência sobre essa resposta entre os profissionais da área de RH e os sites especializados que falam sobre o tema. A questão é que não existe norma em relação a esse assunto. Não há uma norma ABNT para se fazer um currículo profissional, portanto não há um modelo específico ou uma metodologia que deva ser aplicada.

No entanto, na minha metodologia de trabalho, sempre indico que NÃO se coloque foto no currículo – caso você esteja trabalhando com um currículo infográfico é possível abrir uma exceção. Mas por que não indico o uso de foto nos currículos tradicionais? O primeiro ponto é que o arquivo geralmente fica mais pesado por ter uma foto no arquivo Word ou mesmo no PDF. Além disso, muitas vezes, a imagem da foto fica um pouco distorcida, perdendo a nitidez e ainda pode não traduzir a imagem real do profissional. Ou seja, essa foto pode atrapalhar. Não raro, a imagem fica meio solta, pois é difícil encontrar uma formatação adequada para harmonizá-la com o texto escrito.

Em contrapartida, para quem investe em ter um perfil profissional no LinkedIn, indico fortemente o uso da foto e acredito que seja essencial ter uma imagem que possa reproduzir sua postura profissional.

18. Devo entregar currículos impressos?

Esqueça, não existe mais isso. Hoje em dia, tudo acontece no meio digital, seja pelo envio de currículo por e-mail seja por cadastro em sites específicos ou das próprias empresas com vaga aberta. Na verdade, distribuir currículos em papel é até uma postura nada ecológica. Porém, como tudo na vida, há exceção. Se você é de uma área mais operacional e está em busca de cargos conhecidos como "chão de fábrica", vale a pena enviar e entregar currículos impressos.

19. Qual período devo colocar no currículo: o que está na carteira de trabalho ou aquele em que efetivamente trabalhei na empresa?

Essa é outra dúvida muito recorrente. Isso acontece porque algumas empresas contratam o funcionário e só o registram tempos depois. Se esse é o seu caso, meu conselho é: coloque no currículo a data em que efetivamente você trabalhou na empresa. Isso é importante porque esses meses que não constam na sua carteira podem fazer a diferença na hora em que o recrutador for fazer a triagem dos candidatos para a entrevista. Inclusive, é durante a entrevista que você pode mencionar o porquê dessa diferença de tempo entre o registro na carteira e o que diz seu currículo.

20. Devo colocar pretensão salarial no currículo?

Primeiro de tudo: não se coloca pretensão salarial no currículo. Também não se coloca o valor do último salário. Ou seja, não se fala em números no currículo, tanto passados como pretendidos. Porém, alguns sites e algumas vagas pedem para o candidato enviar o currículo já com pretensão salarial. Nesses casos, você pode informar o valor da sua última remuneração ou do seu salário atual (caso esteja empregado), colocando, entre parênteses, a palavra "negociável".

Caso seu último salário tenha sido muito alto e você esteja com medo de perder a entrevista por causa do cenário atual do mercado, que tem apresentado um achatamento das remunerações, minha dica é: faça as contas, veja seu orçamento e trabalhe com uma pretensão salarial de até 30% a menos que sua antiga remuneração.

21. Tenho duas áreas de atuação, faço um currículo unificado para ambas ou um documento específico para cada uma?

Se você tem duas áreas de atuação, é interessante que você faça um currículo específico para cada uma delas. No entanto, muitas vezes, você vai enviar o seu CV para uma empresa ou um headhunter sem saber se há uma vaga ou em qual área você pode atuar. Então, minha dica é: faça um currículo bem-feito, com todas as áreas da sua experiência. Ou seja, tenha um currículo mestre, um documento principal, e nele destaque toda a sua experiência nas áreas específicas. Porém, quando surgir uma vaga destinada claramente a uma das suas áreas de atuação, envie um currículo que destaque apenas sua experiência nesse segmento.

22. Como coloco minha experiência internacional no currículo?

Uma forma de fazer isso assertivamente é inserindo um menu no currículo para descrever toda sua experiência profissional. Fazer isso é simples e segue a mesma lógica de apontamento da experiência tradicional. Ou seja, coloque o ano, o país, a cidade e o que você foi fazer naquele local. Faça isso sempre da experiência mais atual para a mais antiga.

23. Devo colocar o trabalho como autônomo no currículo?

Na maioria dos casos, deve-se acrescentar essa experiência, pois toda informação profissional é válida para ser colocada no currículo. Não é porque não se trata de um emprego formal que esse dado deixará de ser valorizado pelo profissional de recursos humanos que fará a seleção. Portanto, minha sugestão é que você deixe essa vivência como autônomo no campo "última experiência". Caso tenha exercido atividades de consultoria, informe sua atuação da seguinte forma: no subtítulo, coloque o termo "Consultoria individual" e, no cargo, informe "Consultor autônomo" e mencione o nome da empresa.

Em seguida, lembre-se de descrever todas as atividades que você realiza como consultor autônomo: o que você faz, que tipo de serviço está habituado a prestar e qual é o perfil de cliente que costuma atender.

Também é interessante mencionar quais foram seus últimos clientes. Se achar necessário, faça um pequeno relato sobre a sua experiência com consultoria. Assim, dará ao entrevistador uma noção do trabalho que vem empreendendo.

Caso seu currículo esteja muito extenso e fique inconveniente realizar uma longa descrição, sugiro que acrescente uma nota na sua experiência profissional. Atente para o fato de que ela deve ter, no máximo, três linhas.

Essa nota seria uma espécie de observação em que você informa a natureza do seu trabalho atual. Por exemplo: "Desde setembro de 2014, realizo diversas atividades na área de recursos humanos, especialmente em treinamento e desenvolvimento para diversas empresas, dentre elas a TTarga Recolocação e Del Claro Advogados Associados". Caso o recrutador queira saber mais, você será questionado a respeito em momento posterior.

O mais importante é mostrar a quem for avaliar seu currículo que você não está parado, ou seja, você é um profissional que se manteve em movimento, adquirindo novas experiências que podem ser decisivas no momento da sua contratação. Assim, o profissional de RH poderá perceber que a ausência de um emprego formal não fez você se acomodar. Pelo contrário, você é um profissional que está sempre em busca de novas oportunidades e se reinventando. Essa é uma característica que costuma ser considerada positiva pela maioria dos empregadores.

24. Devo colocar o link das minhas redes sociais no currículo?

Sim, você pode colocar o link do seu perfil no LinkedIn no currículo. No entanto, não é necessário colocar o link de outras redes sociais, como Facebook e Instagram. Porém, se você for um profissional da área de design e marketing digital e possui um portfólio na rede, é interessante incluir esse link.

25. Devo colocar referências profissionais no currículo?

Se você já saiu da empresa e está em processo de recolocação, então você pode, sim, dar o nome de alguém, preferencialmente o do seu último superior ou de alguma pessoa do RH, que o conheça e possa falar sobre o seu trabalho. É muito importante que, na hora de fornecer esse dado, você pergunte ao recrutador qual profissional, entre os indicados, ele gostaria de ter como referência. E lembre-se de avisar a pessoa que forneceu os dados dela como referência profissional sobre o processo seletivo que está participando.

26. Congressos on-line e cursos sem certificado devem ser mencionados no currículo? Como fazer isso?

Sim, você deve mencionar esses cursos na área de formação complementar do seu currículo. Particularmente, nunca vi uma empresa pedir comprovante dos cursos extras de que o candidato participou. No entanto, é importante ser ético: não minta, coloque apenas aquilo que, de fato, você realizou.

27. Tive uma experiência que durou três meses. Devo colocá-la no meu currículo?

Se você ficou apenas três meses na empresa porque se tratava de um contrato com prazo determinado, vale colocar essa experiência no currículo e, entre parênteses, indicar que se tratava de um contrato temporário. Se não for este o caso, é importante ponderar se vale a pena ou não, pois, provavelmente, na entrevista o recrutador vai perguntar o porquê de você ter saído em um curto período, ou seja, esteja pronto para os questionamentos que vierem em relação a esse apontamento.

28. Iniciei um MBA, porém apenas cursei seis dos dezoito meses. Coloco ou não no currículo?

Quando a pós-graduação está incompleta, indico não colocar no currículo. Só abriria uma exceção caso você tivesse cursado toda a grade curricular, porém não tivesse concluído o TCC.

DESVENDE OS MISTÉRIOS DO LINKEDIN

Toda rede social contém seus pequenos segredos e manhas que podem nos levar a um nível superior. Com o LinkedIn não é diferente. Para bombar nessa rede profissional, vou revelar alguns truques por meio de dúvidas muito comuns que chegam até mim.

29. Devo aceitar todos os convites que chegam ao LinkedIn?

No início, quando entrei no LinkedIn, tinha uma postura muito agressiva em relação aos pedidos de conexão. Isso significa que eu aceitava qualquer pedido que recebesse. Lembro que eu costumava dizer "caiu na água e fez 'tchibum', eu aceito no LinkedIn". Hoje, porém, sou um pouco mais seletiva, embora a minha tendência seja a de aceitar cerca de 90% dos convites que recebo. Assim, antes de aprovar o convite, sigo alguns passos. O primeiro deles é verificar se a pessoa tem foto. Em seguida, busco ver quantas conexões ela tem (para evitar aprovar perfis *fake*), o quanto do perfil dela está preenchido e o quanto há de histórico profissional dela.

Se a pessoa passar nessa minha breve análise, aceito o convite porque, no LinkedIn, você precisa ter muitas conexões. Às vezes, subestimamos alguém sem nos darmos conta de que ele pode ser a ponte para uma conexão importante.

Então, crie suas regras, faça seus filtros, mas, se você está iniciando no LinkedIn, minha dica é: aceite a maioria dos convites!

30. Escrevo que busco recolocação no título profissional do LinkedIn?

Não há necessidade de mencionar que está em transição de carreira ou em busca de oportunidade/recolocação. No título profissional do LinkedIn você deve colocar a sua área de atuação, por exemplo: profissional da área Financeira/Controladoria/Projetos. Invista em palavras-chave que remetam ao seu perfil. Quando um headhunter for fazer uma pesquisa, é por meio de palavras-chave do cargo ou da experiência que ele irá buscar.

31. Por que é importante personalizar a URL do LinkedIn?

A resposta é simples: para ser localizado rapidamente pelos recrutadores. Em vez de deixar um endereço com o seu nome e mais alguns caracteres aleatórios, composto de números e letras, você pode personalizar a URL com seu nome e uma palavra bem forte, que remeta à sua identidade profissional. Esse é um recurso que poucos profissionais utilizam, mas que faz total diferença na apresentação do seu perfil.

32. Qual é a função do LinkedIn que avisa aos recrutadores que estou em busca de recolocação?

Essa é uma ferramenta oficial da plataforma por meio da qual o usuário pode sinalizar aos recrutadores, headhunters e profissionais de RH que está em busca de novas oportunidades. Essa função também permite especificar quais oportunidades você está procurando, nível hierárquico, localidade e se a disponibilidade é imediata ou não. Configurar o seu perfil para essa sinalização é muito simples: entre na aba empregos ▸ preferências ▸ ative o botão que vai estar desligado ▸ configure as opções de acordo com o seu perfil e as vagas que está procurando ▸ faça um resumo do seu perfil (não se esqueça de usar palavras-chave bem fortes). Pronto!

Só um detalhe: somente as empresas que estiverem contratando – ou seja, com vagas em aberto – saberão que você está disponível para novas oportunidades. Essa é uma grande diferença da bolinha azul, pois nesse caso todos visualizam que você está em busca de emprego, até mesmo aquele recrutador que não tem vaga aberta e está fazendo uma busca despretensiosa.

33. Qual o peso de uma recomendação no LinkedIn?

Se você é um daqueles profissionais que se sente mal e odeia pedir recomendação por seu trabalho, reveja seus conceitos. Nosso comportamento e nossa competência, geralmente, não são avaliados pelo simples resultado de nosso trabalho, mas sim pelo que os outros DIZEM a nosso respeito. Portanto, não basta ser competente e realizador. É preciso que outras pessoas digam isso de você. E nesse ponto as recomendações do LinkedIn caem como uma luva, pois é uma maneira elegante, profissional e discreta de gerar prova social da sua competência e do seu perfil profissional.

34. Como posso pedir uma recomendação no LinkedIn?

Esse é um processo simples, que deve ser destinado aos seus antigos clientes e colegas de trabalho de empregos anteriores (superiores, pares e até subordinados). O próprio sistema oferece essa opção com uma mensagem pronta. Quando receber a recomendação, agradeça e recomende a pessoa também. Trata-se de uma prova social muito eficiente. Inclusive, você pode fazer um *print* da tela e divulgá-la no seu site e em outras redes.

35. Devo personalizar o convite para uma conexão?

O LinkedIn tem uma mensagem pronta para enviar um convite, no entanto é mais elegante enviar uma mensagem personalizada, contendo ao menos o nome da pessoa e uma saudação no fim. Isso fará que o seu contato se sinta realmente privilegiado por receber seu convite.

36. Sou coach e quero ampliar minhas possibilidades de clientela. O que posso dizer ao agradecer o aceite de uma conexão?

Nessa mensagem, apresente-se brevemente. Você pode até oferecer sutilmente seus serviços ou agendar uma sessão experimental. Cada um tem sua abordagem. Sou mais indireta, pois, hoje, tenho fila de espera, mas quem está começando pode ser mais direto. Diga que é coach e fale brevemente dos resultados do seu trabalho.

37. Sou coach e quero encontrar clientes no LinkedIn. Como posso fazer isso?

Busque por palavras-chave. Por exemplo, se você é coach de empreendedores, abra a aba de pesquisa avançada e faça uma busca por "empreendedor". Você pode mudar essa busca e tentar outros termos, como: "empresário", "sócio proprietário", "owner", "gerente", "médico" etc. Você também pode filtrar por outros campos, como por cidade e empresa. Se estiver procurando pessoas que ainda não estejam conectadas a você, marque a opção "conexões de segundo grau".

38. Qual a melhor figura de capa para um profissional liberal?

Minha dica principal é: use uma figura de capa de bom gosto. Pode ser uma foto de você ministrando uma palestra ou uma imagem com o seu logotipo. Até uma frase de impacto, como a sua missão profissional, cai bem. Eu, particularmente, gosto de lâmpadas, computadores, ícones de pessoas em conexão e coisas do gênero. Só preste atenção aos requisitos da imagem. Arquivo JPG, PNG ou GIF com menos de 4 MB. A melhor resolução é de 1400 × 425 pixels.

O BÊ-A-BÁ DA ENTREVISTA DE EMPREGO

Não tem jeito, por mais tarimba que tenha o profissional, a hora da entrevista dá aquele medinho em todos. Além disso, muitas dúvidas e mitos ainda rondam os processos seletivos. Por isso, vou responder aqui às principais perguntas que chegam até mim sobre esse assunto.

39. Como devo me preparar para as perguntas do recrutador?

Antes de qualquer coisa, você precisa se livrar do pensamento de que o entrevistador está ali para buscar os seus erros e assim o eliminar. As coisas não funcionam desse jeito. O profissional de RH não é seu inimigo!

Entenda o seguinte: o entrevistador está prestando um serviço a uma empresa e está em busca de alguém que se encaixe no perfil que foi pedido. Portanto, tudo o que ele deseja é encontrar uma pessoa que se enquadre nos requisitos que o seu cliente estabeleceu. Dessa forma, quanto mais rápido e com mais qualidade isso for feito, melhor.

Há ali um profissional que não tem nenhuma pretensão de "boicotar" a sua vida, e por isso mesmo não deve ser tratado com hostilidade. Trabalhe bem os seus pensamentos e evite ideias como: "O entrevistador quer me sacanear" ou "ele fará uma série de pegadinhas para me prejudicar" ou ainda "com certeza o selecionador está dando corda para que eu me enforque".

Não é isso o que acontece de fato. Sim, realmente o headhunter pode lhe fazer perguntas mais complexas ou testá-lo, questionando coisas para as quais você não tenha uma resposta pronta. Mas tudo isso é feito com a pretensão de verificar se você atende aos requisitos necessários para ficar com a vaga de emprego a qual está concorrendo.

Por pior que pareça, a intenção do entrevistador é aprová-lo, pois a partir do momento em que fizer isso, sua tarefa estará encerrada e ele poderá dar andamento a outras que estão pendentes.

É claro que alguns serão mais simpáticos do que outros, afinal cada um tem o seu estilo. Mas o fato de ele não sorrir para você ou não parecer tão receptivo não significa que ele não esteja gostando da sua performance. Às vezes pode até ser bom que ele seja mais formal, assim você não corre o risco de cometer algum erro sendo informal demais.

Ciente disso, agora é o momento de refletir sobre algumas perguntas que frequentemente são feitas pelos headhunters. Essa reflexão é fundamental. Desse modo, você não será pego de surpresa, correndo o risco de dar respostas que possam o eliminar da seleção.

O objetivo é que você se prepare da melhor forma possível para a entrevista, ou seja, tenha respostas já definidas para algumas questões e não perca a oportunidade de demonstrar para o profissional de RH que você é a melhor opção para ocupar a posição que está em aberto.

40. Se o recrutador perguntar quais são minhas qualidades e defeitos, o que devo responder?

Para falar das suas qualidades, comece por uma revisão da sua carreira e reflita em primeiro lugar sobre o que pode ser considerado um ponto forte seu. Para isso, se pergunte coisas como: "Em que eu sou bom?", "Em que eu me destaquei?", "Como eu alcancei resultados?", "O que eu tenho de diferente?".

A partir daí, escolha uma característica sua que considere positiva e, na justificativa, exemplifique usando circunstâncias ou aspectos da sua carreira em que ela tenha sobressaído, agregando valor para a empresa em que trabalhava na época.

Por exemplo, você pode mencionar a sua excelente capacidade de relacionamento interpessoal e dizer que em seu último emprego essa característica sobressaiu. Dessa forma, você se tornou a pessoa responsável por reintegrar e motivar uma equipe que apresentava grandes conflitos.

O fato de mencionar a característica acompanhada de um exemplo traz credibilidade ao seu discurso. Por isso, liberte-se de crenças limitantes que não permitam que você se venda em uma entrevista. Saber apresentar ao headhunter o que você tem de melhor precisa fazer parte da sua atitude no momento da seleção.

Lembre-se: o que vai impressionar o recrutador não será o que está escrito no seu currículo, mas aquilo que ele vai ouvir de você. A entrevista é uma excelente oportunidade para mostrar o profissional incrível que você é. E profissionais incríveis têm de saber vender a sua imagem.

Quanto aos defeitos, que também podem ser chamados de pontos negativos ou pontos a melhorar, não diga que eles não existem. Essa atitude só levará o profissional de RH a concluir que você é arrogante, prepotente, tem autoimagem inflada e não se mostra flexível para mudanças e melhorias. Se você realmente pensa assim, talvez esteja faltando a você uma dose de autoconhecimento para perceber os pontos que podem ser ajustados em sua personalidade ou quais competências você precisa lapidar.

Não adianta: você precisará apresentar uma resposta quando questionado sobre os seus defeitos. De todas as possíveis características a citar, com certeza o perfeccionismo é a mais clichê. Tanto que eu não costumo aceitá-lo como resposta para essa pergunta. Ser perfeccionista, em muitos casos, é qualidade.

A estratégia da exemplificação também cabe para os defeitos. Já que você não pode fugir de mencionar uma característica negativa, procure colocá-la dentro de um contexto que permita ao entrevistador compreender como aquele aspecto a melhorar impacta seu trabalho.

Por exemplo, se você citar a ansiedade como um aspecto a lapidar, pode contextualizar explicando que essa característica o torna acelerado. Isso ocasiona uma cobrança excessiva sobre pessoas das quais você depende, sobretudo no que diz respeito à agilidade. É comum e até natural que elas tenham um ritmo diferente do seu, o que não é necessariamente algo ruim. Por isso é que ser ansioso se torna uma questão a ser aprimorada.

Outros aspectos "negativos" podem ser mencionados, como a dificuldade para falar em público e a introversão. Mas use sempre o seu bom senso. Evite dizer que você tem dificuldade de relacionamento interpessoal ou que lhe falta agilidade. É importante ser sincero, mas não é preciso apontar algo que você sabe ser uma característica que as empresas em geral apreciam.

Mostre que tem consciência dos seus *gaps* e que já se colocou em movimento para resolvê-los. Evite também citar poucos pontos positivos e muitos negativos. Já entrevistei profissionais extremamente competentes e com um nível de integridade exemplar, mas que foram excessivamente honestos na entrevista e deram mais ênfase aos aspectos que precisavam de melhoria.

Nesse caso, a minha orientação é que você não repita esse erro. Procure sempre jogar mais luz nos aspectos positivos (com certeza eles são muitos, não se esqueça de mencioná-los) e suavizar um pouco os aspectos a desenvolver.

41. O que dizer se o recrutador perguntar por que deveria me contratar?

Você sabe que dificilmente é o único candidato à vaga que está disputando, não é? Afinal, é bastante comum que, na busca por alguém que preencha os requisitos solicitados, várias pessoas sejam entrevistadas. Assim o profissional de RH tende a escolher aquele que, na sua análise, possui o perfil desejado para ocupar aquela posição.

Exatamente por isso, esse é um momento importantíssimo da entrevista, pois ele pode ser o diferencial de que você precisa para sobressair em relação aos demais candidatos. Então esteja preparado para não deixar essa oportunidade passar. Aproveite-a para se vender. Não sabe como fazer isso? Eu ensino agora: você deve mostrar ao headhunter que não apenas percebeu qual é o perfil da vaga, mas também que reúne as qualificações necessárias para que ela seja sua.

Por exemplo, imagine que você esteja concorrendo a uma posição em que a liderança seja uma habilidade essencial. Fale ao entrevistador que você sabe que ele está em busca de alguém com esse perfil. Ressalte as suas competências. Fale a respeito de posições em que atuou nas quais o seu perfil de líder agregou valor para a empresa. Enfim, use um momento de falha dos outros candidatos – que possivelmente serão pegos de surpresa com essa pergunta – para ressaltar seus pontos fortes.

Sugiro que você destaque qualidades como foco em resultados e facilidade para aprender coisas novas, assim como se adaptar a diversas situações. Fale também sobre comprometimento, honestidade e integridade. Ressalte o seu compromisso com o desenvolvimento da sua carreira, o que impulsionará também o crescimento da empresa. Só faço um alerta: tudo tem de ser verdadeiro e íntegro.

Além de tudo o que já foi dito, essa temida pergunta ainda permite um bônus: mostrar ao profissional de RH que conduz o processo que para você aquela não é mais uma entrevista, mas que você se preparou para aquele momento e tem real interesse pela posição. Isso é feito quando, além de destacar as suas potencialidades, você ainda mostra que conhece não apenas o trabalho da empresa para a qual está se candidatando, mas também a sua concorrência.

42. Por que os recrutadores perguntam aos candidatos quais são os objetivos para os próximos cinco anos?

Quando faz essa pergunta, o entrevistador quer saber qual é a sua expectativa em relação à sua vida profissional para os próximos anos.

Cada pessoa tem objetivos próprios. É comum que algumas mulheres considerem, por exemplo, fazer uma pausa na vida profissional depois que tiverem filhos. Outros ambicionam morar no exterior, seja para viver uma experiência pessoal inovadora, seja para se aperfeiçoar profissionalmente. Há ainda aqueles que alimentam o desejo de abrir o próprio negócio.

Sendo assim, é comum que a empresa esteja interessada em saber se pode contar com você por um tempo mais prolongado ou não. A organização quer compreender se e de que modo seus objetivos de carreira e de vida estão alinhados ao que ela eventualmente está planejando para o profissional que será contratado.

Então, minha dica para responder é a seguinte: pense em como você gostaria de estar em cinco anos caso consiga a posição para a qual está se candidatando.

Talvez não seja interessante mencionar naquele momento o seu interesse em morar no exterior. De igual modo, não é uma estratégia inteligente falar a respeito do seu sonho de ter sua própria empresa ou de ficar fora do mercado de trabalho por um tempo a fim de atender a objetivos pessoais.

Procure oferecer ao recrutador uma resposta que busque alinhamento entre os seus planos profissionais e pessoais e os objetivos da empresa. Considere repostas do tipo: "Eu me vejo trabalhando em uma empresa sólida, com grandes desafios, atuando na minha área, em uma posição de destaque pela expertise adquirida".

Não é necessário que você responda que deseja chegar ao cargo máximo da empresa nesse espaço de cinco anos. Considere que um cargo de direção é algo conquistado, na maior parte das vezes, em um período maior que esse. Porém, você pode mencionar que se imagina ocupando uma posição de liderança. O uso dessa expressão revela seus anseios de crescimento na organização sem a necessidade de comprometer seu desempenho na entrevista ou mostrar uma ambição que a empresa não será capaz de suprir.

Faça um exercício de empatia: se você estivesse contratando alguém para sua empresa, o que gostaria de ouvir sobre a expectativa futura do seu funcionário? Provavelmente a resposta envolveria metas pessoais que caminhassem juntas com o crescimento da empresa.

43. O que devo dizer ao ser questionado pelo recrutador do porquê estou aceitando a vaga com uma remuneração menor do que a que eu tinha no emprego anterior?

Em tempos de crise, com tantas pessoas em busca de emprego, é natural que as empresas tenham ainda mais candidatos competindo pela mesma vaga. Tem sido cada vez mais comum o entrevistador encontrar o candidato que parece perfeito, ou seja, que atende ao perfil solicitado.

Porém, ao obter mais informações sobre esse profissional, o recrutador verifica que em seu emprego anterior ele estava acostumado a receber uma remuneração bem acima do que a vaga que está aberta prevê. Nesse cenário, é natural que essa pergunta surja.

Na concepção dele, ainda que você aceite nesse momento de crise ganhar um salário menor, seu orçamento está baseado em uma renda maior (a remuneração do emprego anterior). Logo, ele pode concluir que, em algum momento, talvez não tão distante, você queira renegociar o salário ou ainda trocar a empresa por outra que ofereça uma remuneração melhor.

E a grande dúvida é a seguinte: como mostrar ao profissional de recursos humanos que você está disposto a aceitar a remuneração do emprego para o qual se candidatou?

É importante que você seja bastante claro nesse aspecto, isto é, mostre que deseja trabalhar na empresa tendo ciência do valor da remuneração proposta e que estará feliz em ser contratado para aquela posição recebendo o salário que a empresa divulgou que pagaria.

Informe também que pode permanecer na organização por mais de um ano recebendo o mesmo salário sem problemas, pois seu orçamento está em sintonia com o salário que foi proposto.

Tranquilize o headhunter afirmando que não pretende pedir aumento de salário em pouco tempo de empresa para tentar chegar ao valor que ganhava antes.

Talvez suas palavras não sejam suficientes e você precise provar com documentos tudo o que disse em relação ao seu orçamento. Para isso, organize essa documentação. Faça uma planilha que contenha a informação de todas as suas despesas fixas.

No dia da entrevista, além da planilha, leve as contas mais recentes que possuir, para comprovar que o valor informado na tabela não é fictício. Você não precisa mostrar esses documentos ao entrevistador imediatamente, mas só o fato de ter isso em mãos já gera muita credibilidade.

Ao longo da conversa, caso esse assunto seja mencionado, informe que você está com os documentos. E que, caso seja necessário, poderá, sem problemas, torná-los disponíveis para consulta com a finalidade de esclarecer eventuais dúvidas.

Mesmo que não queira vê-los, o recrutador poderá perceber que você nada tem a esconder, pois aceitou, inclusive, mostrar documentação comprobatória que desse suporte a tudo o que já havia dito anteriormente. Ele poderá concluir que, ainda que não fosse obrigado a fornecer informações pessoais, afinal seu orçamento é algo pessoal, você o fez.

Atitudes assim reforçarão em quem está conduzindo a seleção a certeza de que você é um profissional confiável e de que a redução salarial em relação ao emprego anterior já é algo superado, que essa questão não trará problemas futuros, e você terá tranquilidade e paz de espírito para entregar sua melhor performance.

44. Devo responder sobre a minha orientação sexual em uma entrevista de emprego?

Dificilmente o entrevistador fará essa pergunta diretamente, mas ela pode surgir de outras formas, envolvendo questionamentos de ordem pessoal como: "Você é casado(a)?" ou "O que sua/seu esposa(o) faz?". Se perceber que a conversa caminha nesse sentido, será o momento de decidir se você quer falar sobre a sua orientação sexual ou não.

Acredito que, se uma empresa vai julgá-lo ou não contratá-lo devido a sua identidade sexual, não valha a pena continuar no processo seletivo, pois não consigo imaginar que você tenha desempenho e performance máximos e uma vida autêntica se durante grande parte do dia não puder assumir quem verdadeiramente é.

Então, sugiro que, se o recrutador for enfático e mais direto, você abra, sim, na entrevista qual é a sua orientação sexual e, já pensando nas objeções e nos pensamentos preconceituosos que poderão surgir, deixe claro que você tem hábitos simples, valoriza a família, tem uma vida sem muitas badalações e é emocionalmente bem-resolvido.

Nenhum trabalho no mundo vale a pena se você não puder exercer sua identidade e autenticidade. Seja sutil, educado e sincero, mas fuja de empresas que não aceitam as diferenças e intensificam o preconceito. Mostre que você é um talento, tem qualidades e competências que o tornam diferenciado no mercado de trabalho e uma capacidade de entrega de resultados muito acima da média. É isso que importa no fim.

45. Fiz a entrevista e não tive retorno. O que devo fazer?

Minha primeira dica para você é: aguarde. Sei que você fica ansioso para receber um retorno, mas, antes de tomar qualquer atitude, espere pelo menos quinze dias. Esse é o tempo que o recrutador costuma utilizar para fazer diversas entrevistas e se decidir por alguém que ele considere adequado para ocupar determinada posição.

46. Posso entrar em contato com o headhunter para ter um retorno sobre a entrevista?

Caso mais de duas semanas tenham se passado e você esteja certo de que teve uma boa performance na entrevista, mas não recebeu resposta, é possível que você faça um contato com o headhunter.

Se esse profissional tornou disponível de alguma forma o e-mail dele para você, minha sugestão é que faça o envio de uma mensagem. Nesse e-mail, sempre de forma muito sutil, você pode dizer a ele que reitera o seu interesse na vaga pretendida. Ou seja, informe que você continua disponível para ocupar a vaga e que gostaria de saber se ela ainda está aberta.

Outra superdica: não comece a mensagem informando que participou do processo seletivo em uma determinada data, mas que não obteve retorno. Isso pode causar no recrutador a impressão de que você o está cobrando por ele não ter realizado bem o seu trabalho.

Sei que é função do entrevistador lhe dar um retorno, ainda que a pessoa escolhida para ocupar a posição não tenha sido você, mas isso pode demorar ou simplesmente não acontecer. Muitos headhunters têm uma carga de trabalho absurda e, às vezes, pecam na hora de dar um retorno.

Caso não tenha recebido desse recrutador um cartão ou ele não tenha tornado o seu contato disponível, você pode procurá-lo no LinkedIn. Nessa rede social é possível realizar uma busca pelo nome e/ou cargo e encaminhar uma mensagem inbox para a pessoa. Ali você pode perguntar a ele sobre o andamento da seleção.

Nessa mensagem, procure reafirmar que você permanece interessado e disponível para ocupar a vaga. Mas atenção: não encha o inbox do recrutador de mensagens. Isso pode irritá-lo e passar uma imagem negativa sobre você, prejudicando a avaliação do seu perfil para a posição, caso ela ainda esteja aberta. Por isso, mande uma mensagem apenas e não fique insistindo.

Outra dúvida que surge sempre é sobre a possibilidade de fazer contato telefônico se essa pessoa forneceu o número a você. Muitos recrutadores não gostam de receber ligações. Inclusive porque elas podem ocorrer em momentos inoportunos. Eu, por exemplo, tenho preferência que se faça contato comigo por outros meios.

Uma exceção para esse caso é quando, na entrevista, o headhunter pessoalmente fornece a você o contato telefônico dele. Aí tudo bem, sem problemas.

47. Fui chamada para a entrevista, mas não tenho o perfil da vaga. Devo ir mesmo assim?

Se você foi chamado para a entrevista, de alguma forma o recrutador avaliou o seu perfil e verificou suas experiências. Se o seu perfil não atende a 80% do que a vaga pede e mesmo assim a empresa decidiu conhecê-lo, acredito que você deva ir à entrevista. Faço essa indicação porque, às vezes, nós julgamos que não nos enquadramos na vaga, mas, de repente, pela avaliação do recrutador podemos nos encaixar, sim, naquilo que a empresa está precisando. Além disso, não podemos negar que a entrevista também envolve *feeling*, ou seja, talvez você não tenha cem por cento dos requisitos técnicos que a vaga pede, mas o profissional de recursos humanos tenha ficado bem impressionado com a sua personalidade e as suas competências comportamentais.

48. Fui chamado para uma entrevista de emprego, mas tenho que pagar. O que faço?

Já ouvi inúmeras histórias de profissionais que são abordados por empresas de "consultoria" que divulgam vagas em diversos sites e redes sociais. Geralmente, são aquelas com uma proposta salarial bem interessante e cujos requisitos solicitados são exatamente o seu perfil profissional. Daí você se anima, veste a sua melhor roupa, chega à consultoria e, depois de uma breve entrevista, algo estranho acontece. A simpática "selecionadora" diz que o seu perfil é cem por cento aderente àquela vaga, que suas qualificações são ótimas, mas que, se você quiser concorrer àquela posição perfeita, deve assinar um contrato de assessoria com eles. E, assim, muitos profissionais são induzidos a contratar uma consultoria de recolocação.

Agora pergunto: você acha que se a vaga existisse mesmo iriam cobrar dos candidatos para participar do processo?

Na minha vasta experiência profissional posso dizer que uma situação como essa não procede. Se existe uma vaga e você tem o perfil compatível com ela, nada deve ser cobrado de VOCÊ, pois o interesse é da empresa que anuncia a vaga. Nenhuma empresa séria e idônea liga oferecendo uma suposta "vaga de emprego" para posteriormente vender a assessoria de recolocação. Meu conselho, portanto, é: fuja de situações como essa e, assim como eu, use as redes sociais para avisar outros profissionais.

49. Por que gerar empatia com o recrutador é importante e como é possível fazer isso?

Porque permite que você crie um laço único com quem vai entrevistá-lo, favorecendo uma troca genuína sobre algo que pode ou não ter a ver com o aspecto profissional.

Fazer isso não é difícil e vou ilustrar com o exemplo de um cliente que usou essa estratégia. Chamado para uma entrevista numa multinacional, ele descobriu que seu entrevistador era uma pessoa que trabalhava há muito tempo na empresa. No contato pessoal com quem iria entrevistá-lo, ele fez questão de elogiar a qualidade das instalações, citando como o espaço era bem estruturado.

Sabemos que, quanto mais tempo passamos trabalhando em uma organização, mais nos sentimos apegados a ela por contribuir para o seu crescimento. Portanto, elogiar a fábrica é, ainda que indiretamente, enaltecer o funcionário que, nesse caso, era o entrevistador. Essa é uma boa estratégia. E, dependendo do modo como você conduz a conversa, não soará como bajulação, e sim como a constatação de um fato. Se a fábrica é de fato bem estruturada e se o funcionário fez parte desse projeto, certamente ele tem motivos para se orgulhar. Claro que as informações eram genuínas e verdadeiras, então o único trabalho do meu cliente foi enfatizá-las para gerar mais empatia. Em nenhum momento ele foi falso ou faltou com a verdade, apenas enfatizou o que julgava ser mais adequado para aquela pessoa.

Então, o meu conselho é que você procure descobrir pontos que possam estabelecer contato entre você e seu entrevistador. Mas seja sempre honesto. Não invente ou minta sobre sua experiência, seus gostos ou suas qualidades para forçar um elo que talvez não exista.

O NOVO MERCADO DE TRABALHO

Todos nós temos ouvido e sentido as transformações que vêm acontecendo no mundo e no nosso dia a dia. Sempre refletimos quando nos falam que o mundo está se transformando. A tradição do mundo é mudar. A novidade está na rapidez com que essas mudanças têm afetado a nossa vida, e isso tem nos trazido a angustiante sensação de estarmos sempre com nosso repertório atrasado. Para lidarmos com essa nova realidade, é preciso estar aberto para o novo, e é sobre isso que vou me debruçar com você, a partir de agora.

50. As novas relações de trabalho: será mesmo seguro e necessário o contrato CLT?

Alguns empregadores já perceberam que precisam acompanhar não apenas o movimento do mercado de trabalho, mas as prioridades dos funcionários dos quais não se pode ou não se quer abrir mão. Como sabemos, o mercado de trabalho está em constante mudança. A cada dia surgem novas tendências e demandas, o que força as empresas a se reinventarem em relação a diversos aspectos, inclusive as relações de trabalho.

É muito comum ouvir, especialmente dos mais velhos, que emprego bom é emprego com a carteira assinada. Esse pensamento é bastante frequente, visto que a assinatura na carteira formaliza uma relação de trabalho regida pela CLT. Isso gera ao empregador uma série de obrigações a cumprir.

As maiores vantagens mencionadas por quem defende a segurança da carteira assinada são o FGTS, o seguro-desemprego e a multa rescisória em caso de demissão sem justa causa.

Sem dúvida, esses benefícios existem e são uma realidade para os trabalhadores formais. Mas é necessário considerar também as desvantagens que essa segurança oferecida pela CLT pode trazer.

Por exemplo, em tempos de crise, muitas empresas não têm resistido a uma economia instável, decretando falência e deixando seus funcionários sem acesso a todos esses benefícios. Tais trabalhadores, para garantir seus direitos, precisam recorrer à Justiça do Trabalho.

Nesse sentido, eles perdem, de uma hora para outra, a sua fonte de renda, além de não terem acesso aos seus direitos. Sem contar que seu problema não será resolvido imediatamente. Em muitos estados do país, a média para a resolução de problemas na justiça trabalhista é de mais de dois anos. Ou seja, o vínculo com a carteira assinada pode não trazer tanta segurança como parece. Além disso, ele engessa as relações de trabalho. Ou seja, não contempla algumas situações que a cada dia se tornam mais frequentes.

Um exemplo disso é uma mulher que seja excelente profissional e bastante qualificada para ocupar a posição em que está dentro de uma empresa. Em dado momento de sua vida, ela decide colocar sua vida profissional em segundo plano, engravida e tem um bebê.

Ao repensar sua carreira e suas prioridades, essa funcionária não quer mais trabalhar oito, dez, doze horas por dia. Ela quer poder cuidar do seu bebê, vê-lo crescer, sem, para isso, precisar abrir mão da sua carreira. Que solução encontrar se, dentro do regime CLT, o emprego em horário integral é o que a empresa pode lhe oferecer?

Por isso falamos a respeito dos outros regimes de trabalho: o trabalho como freelancer, por exemplo. Esse tipo de profissional autônomo não tem a carteira assinada, mas pode escolher que tipo de trabalho aceitar ou não, bem como quantas horas por dia quer trabalhar.

Em resumo, ele pode gerenciar seu tempo, possibilitando à mulher, no caso do exemplo fornecido, não abrir mão da vida profissional e tampouco dos cuidados com o bebê.

Esse modelo de trabalho é bastante eficiente, pois tanto a empresa quanto o empregado ficam satisfeitos. Alguns profissionais, como meio-termo, registraram-se como MEIs e trabalham como pessoa jurídica. Emitem notas fiscais, o que é muito procurado pelas empresas e contribuem para a previdência oficial, de modo que podem se aposentar pelo INSS no futuro. Essa relação acaba tendo um ganha-ganha muito interessante, pois o empregador fica livre dos altos encargos tributários, e o profissional consegue maiores ganhos financeiros, o valor líquido a ser recebido é muito maior.

Soma-se a tudo isso o fato de que é possível que freelancers contratem outros freelancers, movimentado ainda mais a economia. Muitos trabalhadores que fizeram a opção de atuar como autônomos descobriram ao longo do tempo novos nichos de trabalho. Com isso, eles precisaram se juntar a outros profissionais para atuar em parceria nesse novo nicho, transformando ou não, de acordo com suas necessidades, esse novo empreendimento em uma nova empresa.

Alguns empregadores já perceberam que precisam acompanhar não apenas o movimento do mercado de trabalho, mas as prioridades dos funcionários dos quais não se pode ou não se quer abrir mão.

Para isso, eles têm proposto a esses colaboradores diferentes contratos de trabalho como forma de atender às suas necessidades pessoais. Afinal, um trabalhador que está feliz e satisfeito em sua posição é muito mais produtivo.

51. Como lidar com o assédio sexual no trabalho?

Muitas mulheres já sofreram ou irão sofrer com o assédio sexual no trabalho. Infelizmente, é um fato. É tão comum que, às vezes, passa despercebido, "quase" não dói, por vezes é "confundido" com um elogio ou é tão sutil que parece um filme passando lentamente e você não consegue decifrar o que está acontecendo.

Eu mesma lembro-me de uma cena em que estava ensinando um superior a importar conexões no LinkedIn, e ele disse que sentaria atrás de mim, pois aproveitaria que o meu marido não estava presente. O que eu fiz? Nada. Foi assédio? Claro que sim, pois foi repetido anteriormente de inúmeras outras formas, sempre sutis.

Mas eu, assim como milhões de mulheres que sofrem assédio, permaneci calada e me senti constrangida. Primeiro, por me manter em silêncio e, segundo, pela culpa de que algo no meu comportamento anterior tivesse colaborado para o comentário assediador. E tenho certeza de que esse não foi o primeiro, mas hoje quero que seja o último, pois eu, como mulher e formadora de opinião que sou, não posso mais me calar.

Muitos assediadores esperam que as mulheres fiquem até agradecidas pelas palavras que proferem, mascarando o conteúdo do assédio como um elogio ou um ato de carinho. Quando extrapolam e passam para o contato físico, é certeza de que o assédio dói mais e se torna inegável. Mas aquele assédio que você tolera e que mata aos poucos é o mais difícil de denunciar. Aquele assédio que parece uma sequência de elogios mais ousados tem de ser tratado como tal. É a única forma de criarmos uma cultura em que nós, mulheres, possamos dar um basta aos grandes e "pequenos" atos de assédio praticados dentro das organizações.

Precisamos de conscientização, precisamos de informação, precisamos de educação. É preciso falar sobre isso. Portanto, a melhor forma de lidar com o assédio sexual no trabalho é não se calar. Nunca.

52. Como fazer uma transição de carreira de forma segura?

Cotidianamente atendo a muitos profissionais insatisfeitos com suas carreiras, escolhas profissionais e que, diante dessas inquietações, ficam estagnados ou paralisados por não saberem quais são os primeiros passos para uma mudança de vida e carreira. Para fazer uma transição de carreira de forma segura, é importante seguir alguns passos:

Invista em autoconhecimento: pode parecer básico para alguns, mas antes de pensar em ter outra profissão ou simplesmente mudar de área, é preciso olhar para si e verificar se há compatibilidade real com a nova área. Neste caso, é importante conhecer muito bem o seu perfil comportamental e ter clareza de como é a vida que pretende construir. O autoconhecimento pode ser atingido de diversas formas: um processo de coaching, terapia, eventos e até por meio de cursos vivenciais.

Simplifique o seu padrão de vida e faça uma reserva financeira: no caso da transição de carreira, você deve fugir do imediatismo. Não dá simplesmente para mudar de vida e carreira do dia para a noite. É preciso que você se dê um tempo, coloque-se em movimento e tenha uma reserva financeira para tal. Para fazer uma transição de área, talvez você precise recomeçar e, consequentemente, diminuir os rendimentos mensais.

Invista em conhecimento: é mito achar que para mudar de área você precisa fazer uma nova faculdade. Muitas vezes, cursos de pós-graduação, MBAs e até mesmo cursos rápidos e on-line podem ajudar nessa jornada. É importante que você se torne um estudioso da área para qual deseja fazer uma transição. Leia tudo sobre o assunto, tenha em mãos as pesquisas mais recentes e se torne um obcecado pela nova área. Devore o que vier pela frente e, quando já tiver certo grau de conhecimento, comece a escrever e publicar sobre a área. Mostre para o mundo o conhecimento e a especialidade que está adquirindo.

Faça networking na área, modele bons profissionais e escolha um mentor: é muito importante que você amplie seu networking e comece a interagir com profissionais da sua nova área de atuação. Se você trabalha em uma empresa, busque os colegas desse novo setor, almoce com eles, ajude-os em novos projetos no seu tempo livre e, se possível, escolha um mentor. Busque no mercado e na sua rede de contatos alguém que já chegou lá e se aproxime desse profissional.

Faça trabalhos voluntários e projetos como autônomo: sempre tem uma instituição que precisa da sua expertise. Comece fazendo pequenos projetos e oferecendo seus serviços como voluntário mesmo. É uma oportunidade de ganhar experiência e de rechear o seu currículo com experiências diversificadas. Quando estiver mais seguro, pode fazer pequenos projetos como autônomo, levando em paralelo com sua profissão atual. Tudo isso conta muito no seu currículo.

Use as redes sociais para divulgar suas mudanças: depois de ter realizado cursos, desenvolvido trabalhos voluntários e como autônomo, é hora de contar para o mundo as suas novas competências e especialidades. Use as redes sociais para publicar sobre o assunto, mostrar fotos dos seus novos projetos e realizações. Mostre para o mundo que você está pronto para assumir desafios maiores na área escolhida e que se tornou um profundo conhecedor do assunto.

53. É possível transformar um hobby em profissão?

Atualmente, há muita gente querendo empreender e às vezes até transformar o hobby ou as paixões em fonte de renda. E fazer isso é muito possível, porém, antes de seguir por esse caminho, é preciso que você responda internamente a algumas perguntas:

Tenho a persistência suficiente? Qualquer empreendedor, especialmente no Brasil, precisa ter muita paciência e persistência. Não se trata simplesmente de achar que você irá abrir um negócio e haverá uma multidão de clientes na sua porta, proporcionando uma renda três ou quatro vezes maior do que a que tinha antes. Pelo contrário, possivelmente, nos primeiros meses, a sua renda será ainda menor do que a que tinha quando estava empregado. Esse retorno vem com tempo e dedicação ao seu negócio. E lhe digo que você será testado diariamente, pois terá de pensar no todo e muitos problemas surgirão. Um dia é a internet que não funciona, outro dia é o cliente que não lhe pagou, outro dia é a máquina do cartão de crédito que deu pane e assim por diante. E, no início, é provável que não tenha equipe para cuidar disso, ou seja, você mesmo terá que colocar a mão na massa, dar conta de todas as suas atividades, sorrir para o cliente e resolver os problemas operacionais.

Tenho a disciplina necessária? Há pessoas que só produzem satisfatoriamente quando precisam prestar contas a um cliente ou chefe. De outro modo, elas simplesmente se acomodam. Ter seu próprio negócio exige estar em constante movimento, trabalhando, em muitos casos, até mais do que quando se tinha emprego para alcançar o objetivo. É possível que sua cabeça trabalhe 24 horas por dia, e é aí que muitos empreendedores desistem, pois você se vê escravo do próprio negócio. Muitas vezes pode ter saudades da época em que era CLT – no fim do dia, desligava o computador e a mente ficava livre para não pensar mais em trabalho. Ter uma empresa exige muita disciplina.

Sei vender? Muitos acham que fazer propaganda na internet é o suficiente para obter o retorno necessário. O processo de venda acontece o tempo inteiro. Conhecer as estratégias para vender adequadamente o seu produto ou serviço é algo muito importante. A grande sorte é que hoje temos muitos cursos e conteúdo interessante na internet. Saber vender é uma competência que pode sim ser adquirida. E, se você está entrando em campo com o pensamento "não sei vender", precisa ressignificar isso agora mesmo, pois as pessoas prósperas e bem-sucedidas sabem sim vender, principalmente realizando autopromoção.

Para algumas pessoas, é bastante difícil transformar o hobby em negócio. Isso acontece porque muitos têm o que podemos chamar de crenças limitantes. Trata-se de pensamentos do tipo "como estou ajudando pessoas, não vou cobrar por isso ou cobrarei muito pouco" ou "cobrarei bem menos do que meu produto vale, dando desconto às pessoas", "fazer o que se ama é utopia".

Saber cobrar é extremamente importante. Compreenda que seu hobby se transformou em um negócio. Para que ele dê certo e você possa manter a qualidade, é muito importante ser bem remunerado por isso. Valorize o seu esforço, os cursos que fez e as horas de trabalho que foram necessárias para que pudesse chegar a um resultado satisfatório.

Sim, é viável ganhar dinheiro com a sua paixão. Mas é preciso ter persistência, disciplina e saber vender. Todas essas habilidades podem ser aprimoradas ou até aprendidas. Por isso, dê o primeiro passo e se esforce. Tenha clareza de quais são os seus talentos, do que lhe dá prazer e de que maneira poderia usar os seus dons a serviço dos outros.

54. Como saber o que se aplica melhor à minha necessidade: coaching ou planejamento de carreira?

Atuo com os dois tipos de serviço e, em alguns pontos, ambos são muito similares. Porém, atualmente, tenho percebido que o trabalho de coaching tem gerado mais resultados práticos, pois auxilia o coachee a estabelecer metas e dá o suporte necessário por meio de ferramentas, exercícios, perguntas poderosas e planos de ação que geram maior engajamento por parte do cliente, além de comprometimento nas ações que o colocam mais perto de suas metas. Geralmente, alguns profissionais que solicitam o planejamento têm a expectativa de que, em algumas sessões, irei utilizar alguns testes e, a partir deles, dizer qual caminho seguir e o que ele precisa para chegar lá. Na verdade, não me proponho a realizar esse tipo de trabalho, pois parto da premissa de que cada ser humano é único, tem um potencial infinito e tem dentro de si a resposta para seus questionamentos, cabendo a mim ser uma facilitadora (com embasamento e técnica), apoiando e empoderando o cliente para que ele atinja suas metas e tenha uma vida mais plena e independente.

55. Como lidar com o desligamento no trabalho?

Estamos em um momento histórico no qual vínculos são rompidos de forma instantânea, principalmente quando se trata do vínculo empregatício. Mudar de empresa (seja por vontade própria ou não) hoje é visto como algo absolutamente normal e até certo ponto denota flexibilidade e capacidade de encarar novos desafios. No entanto, alguns profissionais mostram-se pouco preparados para situações de rompimento e acabam trocando os "pés pelas mãos" nesse momento tão delicado de sua vida profissional.

Desligar-se da empresa com classe e elegância é fundamental e alguns descuidos e descasos nessa ocasião podem denegrir a imagem que levou muito tempo para ser construída. Para tornar o momento menos difícil, procure enviar um e-mail em tom de agradecimento aos colegas de trabalho. Se tiver tempo, pode ser um e-mail para os pares, outro para os subordinados e um especial para o superior. Nesse e-mail é de bom-tom deixar disponível seus contatos particulares, pois essa é uma boa forma de manter a comunicação com o grupo e quem sabe ser lembrado para uma indicação.

Evite entrar em detalhes sobre o motivo da demissão e muito menos desabafar acerca disso. Não é hora também de enviar currículo e pedir indicação de emprego. Deixe isso para outra oportunidade. Se puder, desocupe a sua sala de modo rápido e leve os pertences mais significativos. Peça para um colega encaixotar o restante e busque ou mande alguém buscar em outro momento. O ritual de arrumar as malas em fim de relação é desgastante para todos e pode eliciar respostas emocionais desagradáveis. Não é hora também de salvar todos os arquivos eletrônicos, existem muitas empresas que bloqueiam o acesso dos demitidos no momento subsequente à demissão. Portanto, mantenha sempre um backup eletrônico das informações mais importantes, pois nunca se sabe o dia de amanhã.

56. É justo premiar competência com mais trabalho?

Não, não é nada justo. Profissionais brilhantes têm se afastado das empresas por sérios problemas de saúde física e emocional que se iniciaram com a sobrecarga de atividades. Portanto, cabe à liderança estar atenta à distribuição de tarefas, pois é tendência natural delegar trabalhos mais complexos e estratégicos para os melhores talentos. No entanto, ninguém consegue por muito tempo manter performance e motivação com sobrecarga de trabalho e sem nenhum benefício ou ajuda adicional.

Nenhum ser humano é igual ao outro, cada qual possui sua singularidade, seus talentos e suas deficiências. É muito mais eficiente trabalhar com aquilo que temos de melhor. No entanto, não se pode esquecer de desenvolver uma equipe em que todos possam ser avaliados e o trabalho seja dividido de tal forma que não haja grandes discrepâncias entre profissionais de um mesmo cargo. O líder precisa ter um olhar atento para saber qual é o limite de cada um e possibilitar uma divisão justa de tarefas e funções, premiando os profissionais "destaques" de forma adequada.

Também cabe aos profissionais de recursos humanos promover e disseminar políticas e estratégias para retenção dos melhores talentos, bem como possibilitar que cada indivíduo tenha condições de crescimento e desenvolvimento de acordo com suas motivações e competências, auxiliando muitas vezes as lideranças a premiarem o bom resultado com ações que promovam antes de tudo saúde, satisfação e benefício pessoal.

57. Inglês ou pós-graduação: o que fazer primeiro?

Meu conselho inicial é que você tente organizar as duas atividades na sua agenda. Há muitos cursos de inglês on-line atualmente que oferecem bom suporte para o aluno. Em geral, esses cursos permitem até que você tenha aulas de conversação com professores estrangeiros para aumentar sua fluência no idioma.

A vantagem de estudar à distância é a possibilidade de gerenciamento do seu tempo: você não precisa estar em uma aula com dia e hora marcados, podendo estudar no horário que lhe for conveniente.

Por outro lado, é preciso ser disciplinado para evitar que a flexibilidade oferecida transforme-se em um problema. Há pessoas que não conseguem se organizar para fazer um curso à distância, pois estão sempre priorizando outras atividades e deixando o curso de lado. Outras não conseguem ter foco. Ao acessar o curso on-line, perdem-se em outras atividades que precisam realizar usando a internet. Por isso, avalie seu perfil, verificando se conseguirá aproveitar as potencialidades do curso de idioma on-line ou se para você estudar presencialmente é a melhor opção.

Algo que precisa ser desmitificado é o fato de que, para conseguir fluência em uma língua estrangeira, você precisa sair do seu país e estudar fora. Isso não é necessário. É perfeitamente possível ser fluente em outro idioma estudando aqui no Brasil. Logicamente, isso vai requerer a sua dedicação aos estudos.

Como havia mencionado, minha sugestão é que você consiga agregar o estudo do inglês a um MBA ou uma especialização.

Algumas instituições permitem que você inicie a sua pós cursando a quantidade de matérias que desejar. Ou seja, se por razões econômicas ou mesmo de agenda você só quiser cursar uma disciplina por semestre, isso é possível.

Talvez esse seja um caminho que permita a você não abrir mão nem de um objetivo nem de outro. Você pode demorar um pouco mais para terminar a pós e fazê-la dentro do seu ritmo e possibilidades.

Mas se você não tem condições de fazer os dois simultaneamente, sugiro que opte pelo inglês. Se a sua intenção é ocupar uma posição em uma multinacional, não é possível adiar o aprendizado dessa língua estrangeira.

Continue estudando sempre, arrume amigos em outros continentes para não perder a fluência e, se ainda não fez uma pós-graduação, a hora de fazer é quando o seu inglês já estiver avançado.

58. Existe um padrão ou limite de idade por cargo?

Não existe. Isso depende muito da cultura de cada empresa. Geralmente, empresas multinacionais ou *startups* preferem profissionais mais jovens e arrojados, mas veja: isso é uma preferência, e não regra. Em contrapartida, algumas empresas mais tradicionais não contratam pessoas com idade muito diferentes entre si. Se a empresa tem oportunidade de carreira e busca desenvolver o profissional, espera que ele entre mais jovem e vá sendo promovido ali dentro.

ÚLTIMAS PALAVRAS

Espero que esta leitura o ajude a encontrar o seu novo trabalho e a viver uma vida com mais propósito e significado. Acredito que tudo o que a gente vive tem um sentido, e o desemprego é uma oportunidade para que você se reinvente e viva uma vida melhor. Talvez você tenha chegado até aqui exatamente porque esteja desempregado ou sofrendo no trabalho. Então agradeça por isso. Por mais bizarro que possa parecer. Agradeça por tudo o que já viveu e a partir desta leitura feche o compromisso com você mesmo de mudar o seu jeito de pensar e agir. Tenho certeza de que você tem um potencial incrível e que, com um pouco de ferramentas, disciplina e empenho, pode começar hoje mesmo a viver a vida dos seus sonhos. Fique presente para as oportunidades que surgem a partir dos momentos difíceis e comece uma transformação interna. Se eu consegui, você também conseguirá. Gratidão por sua confiança e por seu carinho. Este livro foi concebido para que eu possa viver minha missão de vida intensamente: fazer que você conquiste o trabalho dos seus sonhos.

Leia e compartilhe este material. Há muita gente que precisa deste conteúdo para conseguir melhores condições de trabalho e despertar seu potencial.

Deixo de presente um modelo de currículo cujo download pode ser feito agora mesmo por meio deste link:

<http://listavip.ttarga.com.br/cv>

GRATIDÃO POR SUA PRESENÇA. ♥

Bibliografia

ACHOR, S. *O jeito Harvard de ser feliz*: o curso mais concorrido de uma das melhores universidades do mundo. São Paulo: Saraiva, 2017.

CHAMINE, S. *Inteligência positiva*: por que só 20% das equipes e dos indivíduos alcançam seu verdadeiro potencial e como você pode alcançar o seu. São Paulo: Fontanar, 2013.

DWECK, C. S. *Mindset*: a nova psicologia do sucesso. Rio de Janeiro: Objetiva, 2017.

HARV, T. E. *Os segredos da mente milionária*: aprenda a enriquecer mudando seus conceitos sobre o dinheiro e adotando os hábitos das pessoas bem-sucedidas. São Paulo: Sextante, 1992.

JILL, B. T. *A cientista que curou seu próprio cérebro*. São Paulo: Ediouro, 2008.

TARGA, T. *Como se preparar para a entrevista de emprego*. São Paulo: Évora, 2018. E-book.

THEML, G. *Produtividade para quem quer tempo*: aprenda a produzir mais sem ter que trabalhar mais. São Paulo: Gente, 2016.

Contato com a autora:
ttarga@editoraevora.com.br

Este livro foi impresso pela BMF em papel Lux Cream 70 g.